VOTRE ALIMENTATION

SYMBOLES - ÉNERGIE

DOCTEUR RAYMOND ABREZOL

VOTRE ALIMENTATION

SYMBOLES - ÉNERGIE

AU SIGNAL - LAUSANNE
CHIRON - PARIS

Du même auteur

Sophrologie et Evolution — Demain l'Homme — Editions du Signal traduit en allemand sous le titre
Sophrologie, der neue Weg zu gesundem Leben — Panorama Verlag

Sophrologie dans notre Civilisation — (Intermarketing Group) Au Signal (épuisé) traduit en allemand sous le titre
Bewusst heilen mit Sophrologie — Irisiana-Hugendubel Verlag

Sophrologie et Sport — Chiron Paris et Au Signal Lausanne

Vaincre par la Sophrologie — Editions Soleil

En collaboration avec le Dr Jean-Pierre Hubert : *Traité de Sophrologie, tome 2 : Techniques sophrologiques* — Le Courrier du Livre

L'anti-mouton humain - L'Age d'Homme (épuisé)

Bien naître et Bien-être par la Sophrologie — L'Age d'Homme (épuisé)

Les mots et les noms suivis d'un astérisque font l'objet d'une notice dans le glossaire ou l'index des pages 71 à 75.

Crédit photographique : Couverture sur des clichés de Len Sirman Press Genève, H. Chappuis — Photos couleurs de H. Chappuis Lausanne.

ISBN 2-88023-008-X

PRÉFACE

Dans les pays occidentaux les aliments végétaux, qui formaient l'essentiel de l'alimentation humaine depuis des millénaires ont été, depuis quelques décennies, supplantés par les aliments d'origine animale (viande et produits laitiers) ainsi que par tous les produits issus de l'industrie alimentaire. Celle-ci, par une publicité omniprésente, a façonné les habitudes alimentaires modernes.

La santé des consommateurs a été sacrifiée sur l'autel du profit économique.

Cette situation a favorisé le développement des maladies de civilisation qui, en cette fin du vingtième siècle, constituent un fléau plus destructeur que les guerres du passé. Les « drogues légales » que sont le tabac, l'alcool, le café, le sel et le sucre raffinés, les additifs et les médicaments chimiques sont consommés principalement parce que l'alimentation, dénaturée, ne procure plus une vitalité suffisante. Fatigué, mal dans sa peau, l'occidental recherche dans ces stimulants artificiels une évasion vers quelques minutes de bien-être. Hélas, ces substances accroissent l'intoxication déjà présente et font le lit de la maladie.

Le corps médical, appelé à la rescousse, a été formé à combattre les symptômes des maladies plutôt qu'à enseigner les lois de la santé. La médecine orthodoxe moderne a grandi sous la tutelle de l'industrie pharmaceutique. Elle a eu trop souvent tendance à négliger l'hygiène de vie générale et à distribuer de façon excessive des médicaments chimiques aux effets secondaires dangereux.

Heureusement les temps changent et de plus en plus de médecins s'efforcent de montrer à leurs patients comment trouver leur équilibre personnel par une alimentation Végétale, Variée et Vivante (cette règle des trois « V » résume les grandes lois de l'alimentation saine).

Il est temps de se rappeler que la pollution de l'environnement n'est que le reflet de la pollution de nos corps.

Il est temps de cesser de subir nos maux en victimes, de prendre conscience que ce que nous mangeons affecte notre santé individuelle, et, de plus a un impact sur l'humanité toute entière. Ainsi, une diminution de dix pour cent seulement de la consommation de viande dans les pays industrialisés ferait non seulement reculer le fléau des maladies de civilisation mais fournirait assez de céréales pour nourrir les soixante millions d'êtres humains qui meurent de faim chaque année !

Pour se délivrer de l'ignorance et de la maladie, il s'agit d'entreprendre une démarche personnelle, de s'informer puis de faire des expériences qui élargiront notre conscience alimentaire. En remplaçant peu à peu la diététique quantitative du passé par une diététique qualitative individualisée, en évitant les habitudes monotones et le piège des sectarismes alimentaires, en faisant de la nutrition une école de bien-être et de plaisir, chacun peut se délivrer de ses maux et voir sa vitalité augmenter de plus en plus.

Ce livre a été écrit pour faciliter cette démarche. Il décrit notamment des techniques encore trop peu connues, comme les combinaisons alimentaires, la kinésiologie, la bio-électronique de Louis-Claude Vincent, la diététique chinoise et essénienne, etc. Il ne vise pas à créer une nouvelle chapelle « alimentaire », mais à donner des moyens d'exploration de soi-même qui favorisent une prise en charge individuelle.

Avec ce nouvel ouvrage, Raymond Abrezol, dont j'admire depuis des années l'enthousiasme, la gaieté, le talent pédagogique, et la curiosité intellectuelle inlassable, apporte à ses auditeurs, ses élèves, ses patients et amis ainsi qu'au grand public des idées précieuses pour que l'alimentation devienne un puissant instrument d'évolution personnelle. Il donne le goût d'une quête personnelle au-delà des préjugés qui stérilisent et des habitudes qui immobilisent. Il ouvre la porte vers l'âge de la responsabilité : notre santé est entre nos mains et entre nos dents !

Docteur Christian Tal Schaller

Pour prendre contact...

Ce livre est le fruit de plusieurs années de travail et de nombreuses observations cliniques relatives aux conséquences de l'alimentation. J'ai vu, au cours des ans, des centaines de personnes détruites dans leur santé par une conduite aberrante dans leur façon de se nourrir... ou par une diète catastrophique. Une multitude de régimes est proposée, si bien que l'on ne sait plus que choisir. Certains sont sensés, d'autres dangereux.

En marge de chaque traitement médical, les principes d'une hygiène alimentaire correcte devraient être enseignés à tous les patients. Je suis particulèrement heureux que la préface de ce petit livre soit rédigée par le docteur Christian Schaller, qui se trouve être lui-même auteur de nombreux et excellents ouvrages sur l'alimentation. Je le remercie sincèrement de sa collaboration.

Diplômé de médecine à Genève, il étudie depuis vingt ans les diverses méthodes de santé, parallèlement à une pratique de la médecine générale. Dans de nombreux pays il soutient la création de centres dans lesquels médecins et thérapeutes collaborent pour que l'impasse de la maladie et de la souffrance se transforme en voie royale de la connaissance de soi et de l'épanouissement individuel.

R.A.

VOTRE ALIMENTATION
SYMBOLES — ÉNERGIE

C'est seulement quand nous nous aventurons dans l'amour qui cherche à aider et à servir, que nous transcendons et développons cette science qui inclut la perception de notre unité essentielle avec les autres.

N. Sri Ram

Notre corps doit être le palais de l'esprit, le temple de l'âme, un lieu où voudrait habiter très longtemps l'étincelle de vie, ce faible reflet de la Grande Lumière.

Dr R. Jackson

LES SYMBOLES

J'ai découvert les symboles à Zurich, à l'Institut Jung *. Ce fut pour moi une révélation. Un symbole est une image de l'âme, en allemand *Sinnbild*. Il est en relation directe avec la conscience, en est le fruit et il est porteur d'énergie. Les rêves sont exprimés par des symboles. De même les complexes, symptômes et actes manqués, sont des manifestations symboliques de l'âme. Ces symboles ont un pouvoir réel, ils sont dynamiques et influencent sans cesse, notre vie à notre insu. Nés de notre inconscient, lorsqu'il touchent nos sens, il sont automatiquement une action sur lui par réaction de feed-back *. J'en ai apporté la preuve scientifique lors de mes recherches à Philadelphie. Je pensais à cette époque que le training autogène de Schultz pouvait être amélioré en ajoutant des mots symboliques aux phrases clés utilisées. J'ai enregistré les modifications physiologiques, sur des sujets entraînés, lorsque de tels mots étaient utilisés avec le *terpnos logos* *.

Pour mieux comprendre l'expérience, voici comment je m'y suis pris. Le sujet est installé très confortablement couché, muni d'électrodes d'enregistrement * polygraphique. On pratique avec lui le training autogène classique pur par hétérosuggestion, c'est-à-dire que le sophrologue dirige les exercices avec sa voix, les formulations sont strictement celles de Schultz : « Je suis tout à fait calme — mon bras devient lourd — mes deux bras deviennent lourds — etc... puis mon bras devient chaud — mes deux bras deviennent chauds — etc... puis mon cœur bat calmement, régulièrement » on passe ensuite au contrôle respiratoire, au plexus solaire et au front frais. En fin de séance, le sujet s'étire, fait des mouvements, respire plusieurs fois de suite et ouvre les yeux.

L'enregistrement polygraphique, fait chez plusieurs personnes, sert de comparaison avec ou sans utilisation de symboles.

Nous recommençons l'expérience, en gardant les mêmes exercices, mais en ajoutant des mots symboliques. Au premier exercice nous disons : « Mon bras devient lourd, attiré vers la **terre** » ; au second « Mon bras devient chaud, comme exposé au **soleil** » ; « Mon cœur bat calmement, régulièrement, il m'apporte la **vie**, je suis toute respiration, je sens l'**air** pénétrer mon corps, mon plexus solaire irradie de la chaleur, il y a comme un **feu** dans mon ventre ». Chaque fois que le mot symbolique est prononcé, il y a immédiatement une modification de l'enregistrement polygraphique. Ce qui change le plus c'est l'onde de pouls, dans tous les cas.

Cette expérience démontre qu'un mot symbole utilisé dans le langage provoque une réaction en profondeur dans la conscience. Dès cette découverte, nous avons introduit systématiquement de tels mots dans les techniques sophrologiques *. Leur utilisation active la modification de l'état de conscience recherché, c'est-à-dire le passage de la conscience ordinaire ou pathologique à l'état * sophronique. Dans l'exemple ci-dessus, le symbole est « injecté » dans la psyché par l'intermédiaire du sens de l'ouïe. Un objet symbolique peut provoquer une modification de conscience immédiate par sa vision, c'est en particulier le cas des fétiches ou des formes à valeur de symbole. La voie d'entrée se fait toujours par les organes des sens.

Il existe des symboles collectifs, qui touchent tous les hommes, ils sont le fruit de l'inconscient collectif et agissent sur lui, et des symboles personnels qui sont nés de notre expérience. Ils sont en relation avec l'inconscient personnel et le subconscient.

Un drapeau n'est un symbole que pour les ressortissants du pays concerné. Un étranger qui le regarde n'a aucune réaction, à moins que le drapeau soit porteur d'un symbole collectif, comme c'est le cas du drapeau suisse avec la croix, du drapeau d'Israël avec la croix de David, par exemple. Dans ce cas, ils deviennent des symboles personnels et collectifs à la fois. Une partie peut représenter le tout. Une griffe devient le symbole du tigre, un sous-vêtement le symbole de la femme, un parfum particulier le symbole personnel d'une femme précise, etc.

Les symboles les plus puissants sont issus de la profondeur de soi ; on les appelle les *Manas*. Ils sont en rapport direct avec les principes masculin et féminin, le Yin * et le Yang, avec la source même de la vie. C'est le cas des « mandalas » *. Ils permettent de découvrir Dieu en nous.

Nous n'allons pas nous étendre sur tous les symboles bien sûr, il faudrait pour cela plusieurs livres. Nous ne parlerons que des symboles qui intéressent directement la conscience en rapport avec la sophrologie *. Après ce développement, nous évoquerons l'alimentation en relation directe avec le symbole de l'homme total. Peut-être allez vous découvrir un concept complètement révolutionnaire de la diététique, où la valeur symbolique de l'aliment va être mise en évidence, il vous sera possible d'apprendre à vous nourrir selon vos propres besoins de chaque jour, de chaque instant. Nous aborderons plus loin la kinésiologie * comportementale adaptée au symbole et à l'alimentation, selon le concept des docteurs Diamond et Goodheart.

Lorsque je me suis inscrit au Collège international de médecine traditionnelle chinoise, je ne savais pas du tout ce qui m'y attendait. J'avais beaucoup entendu parler du docteur J. Lavier * par mes amis, qui insistaient pour que je suive cette formation. Cela se passait à peu près à l'époque même de mon analyse à Zurich. Avec, quelques réticences, je me rendis à Montpellier pour trois jours de cours d'introduction à la philosophie taoïste et à la pensée chinoise. J'y découvris un pédagogue extraordinaire. Passionné par le thème, je commençai une formation en médecine exotérique chinoise, complétée par la suite par l'étude de la médecine * ésotérique. Cela dura de nombreux week-ends, à Lyon, à Montpellier, répartis sur plus de huit ans. Je me trouvai confronté à une forme de pensée qui allait totalement à l'encontre de tout ce que j'avais appris. J'entrai dans le cycle de la médecine de l'énergie, de la médecine spirituelle, de la médecine symbolique. J'y découvris des moyens thérapeutiques extraordinaires, qui n'ont rien à voir avec l'acupuncture classique. J'appris la médecine cosmique, la possibilité d'action au niveau de la conscience universelle. Ce fut un grand moment de ma vie, qui me permit de me dégager des dogmes que l'on m'avait injectés pendant mes études universitaires. Mon esprit s'ouvrit vers l'irrationnel, vers l'abstrait et le spirituel. Cette aventure fut encore élargie par l'enseignement que j'ai reçu de Maître Omraam Mikhaël Aïvanhov * à Fréjus. Je m'engageai sur le chemin de la découverte de la conscience universelle, au-delà de la vie et de la mort.

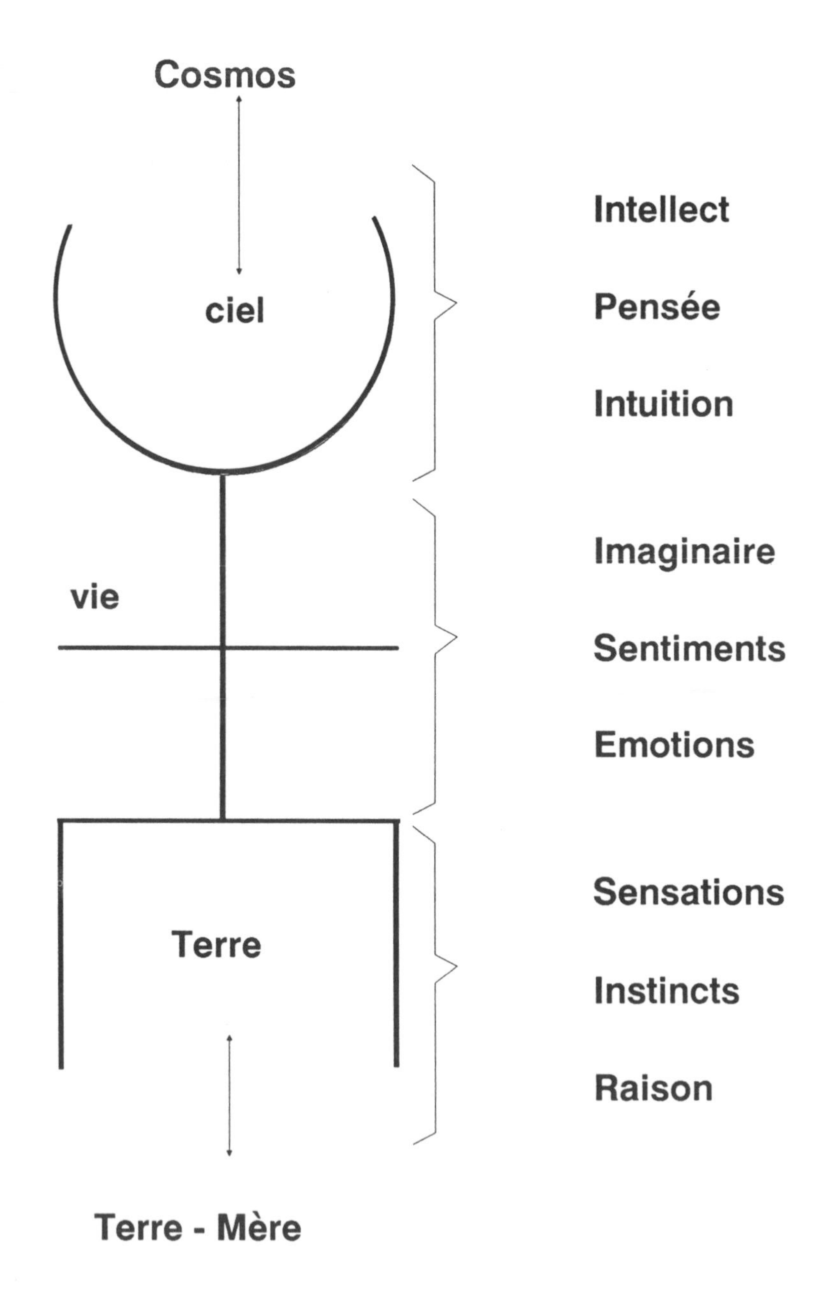

Schéma 1 Symbole de l'homme total sain

L'HOMME TOTAL

Dans la langue chinoise ancienne, l'homme sain s'écrit , l'homme malade et l'homme mort , représentés dans les schémas 1 et 2. La signification de chaque étage (carré, croix et cercle) y est suggérée.

L'homme est une vie entre ciel et terre. Sa fonction est de réunir énergétiquement le ciel et la terre, c'est une antenne réceptrice-émettrice de l'énergie cosmique. L'être sain se tient debout. S'il se couche, sa fonction est rompue, il ne joue plus son rôle. L'homme se couche pour dormir, c'est la « petite mort », ou lorsqu'il est malade ou mort. Toute technique de développement personnel ne peut se concevoir que debout. Nous tenons énormément à ce critère en sophrologie, où la majorité des techniques se pratiquent debout ou assis, pour respecter le symbole de l'homme sain, tête vers le ciel, pieds sur la terre. L'homme sain a une harmonie énergétique parfaite entre le carré, la croix et le cercle. Une rupture d'équilibre déclenche une maladie. L'homme contemporain, par son matérialisme extrême, a rompu l'équilibre, le carré est devenu beaucoup trop important. Il faut à tout prix essayer de rétablir l'harmonie de l'énergie cosmique sans quoi l'humanité court à son génocide, son autodestruction. L'homme sain est donc divisé en trois parties égales : le corps physique, la psyché ou l'âme, et l'esprit. Le cercle, le symbole de l'esprit, signifie en même temps intellect, pensée et intuition. Il est aussi le centre principal de la créativité, il nous met en rapport avec le monde divin. La croix, porteuse de vie, est le symbole de l'âme ; elle est en relation avec les sentiments et les émotions, c'est le centre de l'affectivité en relation avec le monde de l'imaginaire et du symbolique. Le carré, le symbole du corps physique, est lié aux sens et aux instincts ; porteur de la raison, de la logique, il est scientifique et nous met en rapport avec le monde réel. L'association croix-carré donne naissance à la personnalité dont le symbole est le paon, animal superficiel et fier (l'homme contemporain) ; l'ensemble carré-croix-cercle crée l'individualité, avec pour symbole le rossignol, animal libre et harmonieux. L'individualité est l'harmonie des trois plans. Elle structure l'être indissociable, sain, en équilibre parfait entre ciel et terre.

Anatomiquement, le cercle, représenté par la tête, contient le cerveau. C'est un organe très noble. Il est hyperprotégé par les os du crâne, on ne peut pas le toucher, il est divin.

La croix symbolise le thorax, siège du cœur et des poumons, organes de vie. Moins nobles que le cerveau, ils sont sacrés. Les côtes n'en assurent qu'une protection partielle. Le cœur et les poumons sont liés aux sentiments.

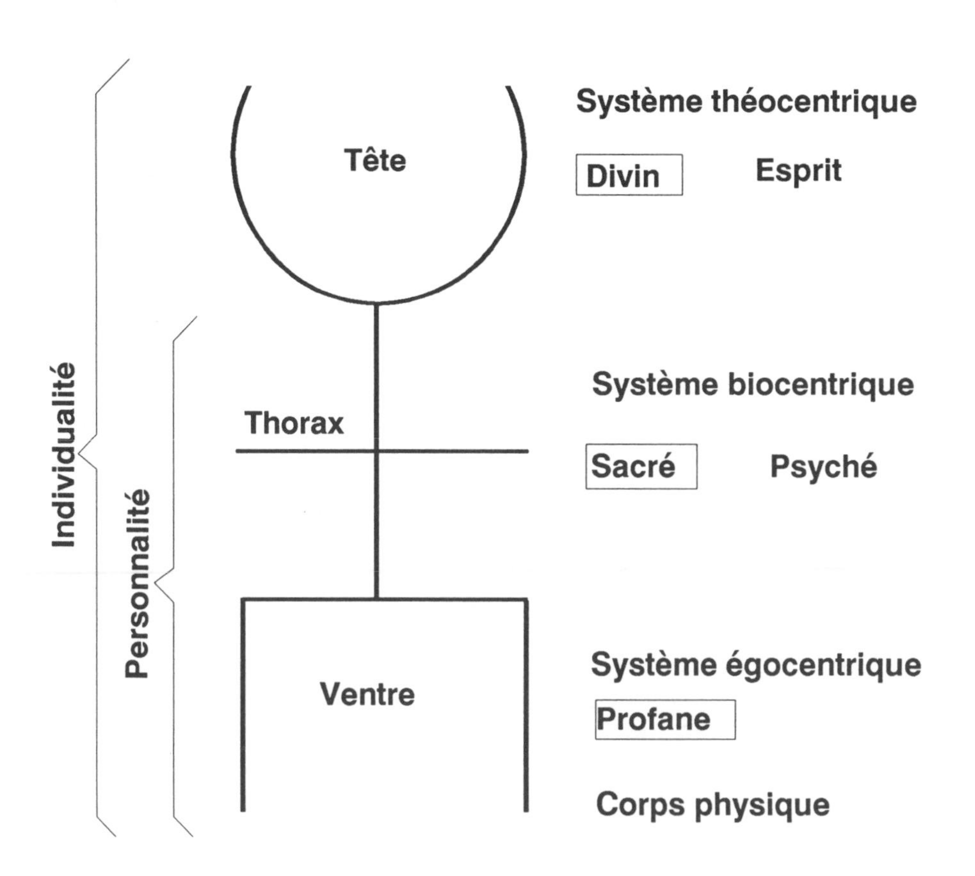
Système théocentrique
Tête
Divin
Esprit
Individualité
Personnalité
Thorax
Système biocentrique
Sacré
Psyché
Ventre
Système égocentrique
Profane
Corps physique

Schéma 2

On dit par exemple « Je te donne mon cœur » ou « Je respire pour toi » « Tu es le souffle de ma vie » « J'ai mal au cœur » etc. Il ne nous viendrait pas à l'idée de dire par exemple « Je te donne ma vessie ».

Le carré est lié au monde profane, au corps physique, à la matière et à la science. La médecine allopathique est carrée, ainsi que l'éducation et l'enseignement reçus dans nos écoles et nos familles. La vie est organisée, structurée autour du matériel, du sensoriel, de l'instinctif. Ce fait renforce la personnalité et pousse l'homme à l'égoïsme, à l'égocentrisme. Le résultat en est un homme déséquilibré, fait d'un grand carré, d'une petite croix et d'un tout petit cercle. La science n'admet pas l'existence des plans supérieurs, parce qu'ils ne sont pas mesurables. Est considéré comme scientifique tout ce qui peut être mesuré, pesé, ce qui est réel, tangible, rationnel et visible. L'âme et l'esprit n'entrent pas dans cette catégorie, ils sont donc forcément éliminés. On soigne l'homme dans son carré, on attaque la maladie par des moyens scientifiques, tout particulièrement par des médicaments et la chirurgie. Or, curieusement, la médication est la plus empirique des thérapies, elle n'est absolument pas scientifique. Le résultat de ce genre de traitement est la permanence de la maladie et non sa guérison. En effet, le déséquilibre au niveau du cercle et de la croix est la cause de la majorité des maux, des maladies * fonctionnelles (80 à 90 % des maladies). Un traitement symptomatique peut arrêter le symptôme, mais en aucun cas guérir le malade. Il faut supprimer la cause de la maladie. Or, cette cause est liée au psychisme ou à l'esprit. Le traitement par chirurgie et médicament est indispensable, mais totalement incomplet. Automatiquement, la causalité n'étant pas supprimée, un autre symptôme va se substituer au premier, si bien, que l'on crée à la chaîne des malades permanents. Essayons d'expliquer ce phénomène par une image (schéma 3) : le symptôme est un ruisseau qui coule. Le thérapeute veut s'en débarrasser : pour cela, si le patient a par exemple un ulcère d'estomac, il sera soit opéré, soit traité par une médication adéquate. Le symptôme va disparaître, mais le patient ne sera pas pour autant guéri. La source du ruisseau sera toujours active. L'intervention médicale aura simplement construit un barrage empêchant l'eau de passer. Derrière lui l'eau s'accumule, le barrage se remplit. Au bout d'un certain temps il déborde, un nouveau symptôme apparaît, par exemple un eczéma. Le malade va consulter un autre spécialiste et ainsi de suite. A chaque traitement le barrage devient de plus en plus grand, jusqu'au jour où la pression de l'eau sera si forte qu'il s'effondrera : le patient meurt, victime de ces traitements trop superficiels. Il est iatrogéniquement * décédé.

La thérapie globale consiste à s'occuper aussi de la source des troubles au niveau de la croix et du cercle. Il faut tarir la source. Il y a alors guérison. C'est ce que nous faisons dans la médecine de la conscience ainsi que dans la médecine traditionnelle. Le symptôme est secondaire, il est réactionnel, il ne nous intéresse qu'accessoirement. C'est la cause, l'origine, la compréhension de son message symbolique qui est importante, son décodage.

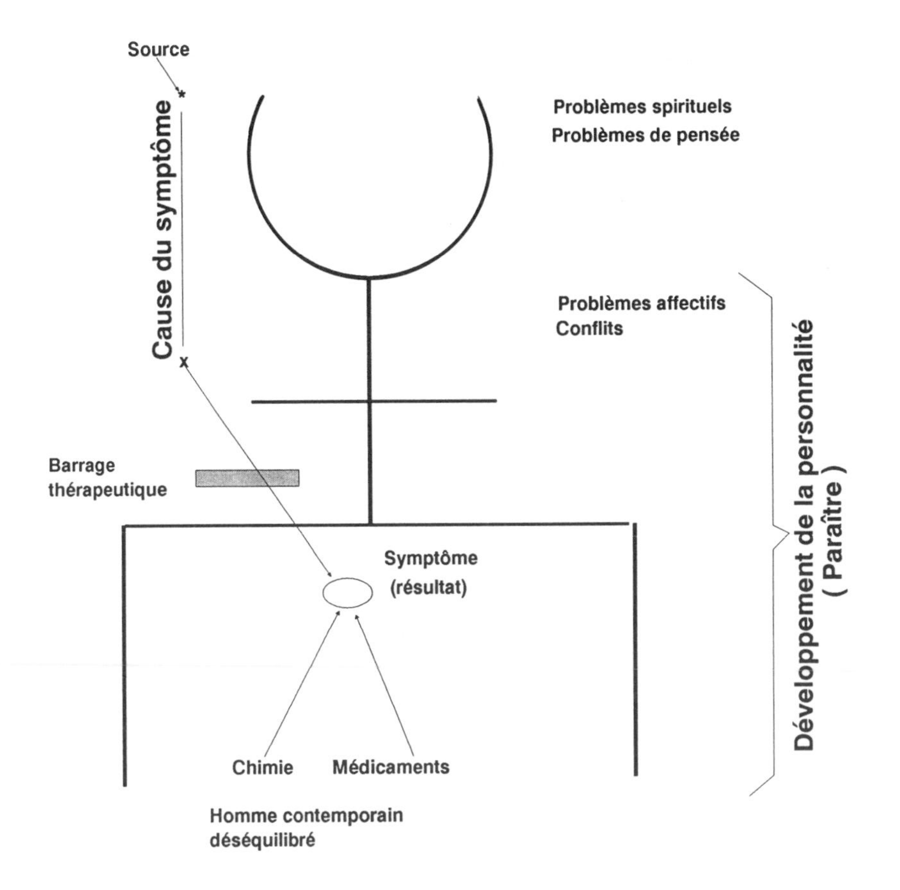

Schéma 3 **Traitements allopathiques**

Pour comprendre les trois mondes : profane, sacré et divin, prenons un exemple simple : le langage. Le langage articulé, qui fait partie du deuxième système de signalisation de Pavlov *, n'est qu'un réflexe * conditionné, il appartient au carré. Si vous écoutez une conférence, le carré saisit le sens réel des phrases, ce que veut exprimer l'orateur. Cependant, dans son discours, il met son émotivité qui est transportée par la tonalité de sa voix et par les symboles utilisés. Il touche automatiquement la croix de l'auditeur, c'est le langage sacré. Souvent, le conférencier aimerait expliquer des phénomènes inexplicables par le langage. Tout ce qui se trouve dans le cercle ne saurait être exprimé par un moyen profane. A ce niveau le message ne peut être communiqué que par le vécu et la pensée, sans aucune explication possible. C'est le langage divin, la communication non verbale, le plus puissant moyen qui ait été donné à l'homme pour communiquer et dont il ne se sert pas, ou mal. En réalité, le dialogue entre deux êtres peut être beaucoup plus intense dans le silence qu'avec une multitude de mots. La pensée est une vibration, c'est une énergie fantastique qu'il serait bon d'apprendre à utiliser. La lumière et la chaleur se manifestent par des vibrations beaucoup moins intenses que la pensée. Prenons un autre exemple : beaucoup de gens ont lu la Bible, ou tout au moins l'ont parcourue. Ils l'ont appréhendée avec le sens des mots au niveau du réel, du carré. Autant dire qu'ils n'ont strictement rien compris. Le seul moyen de saisir ce texte sacré est de le vivre émotionnellement par le sens des symboles multiples qui s'y trouvent et surtout en comprenant intuitivement ce qui est entre les mots, entre les lignes, le langage divin, l'essence du livre. On retrouve le symbole de l'homme total au niveau des plantes, des arbres et de fruits (schéma 4), ainsi qu'au niveau du cosmos. On y retrouve aussi toute la

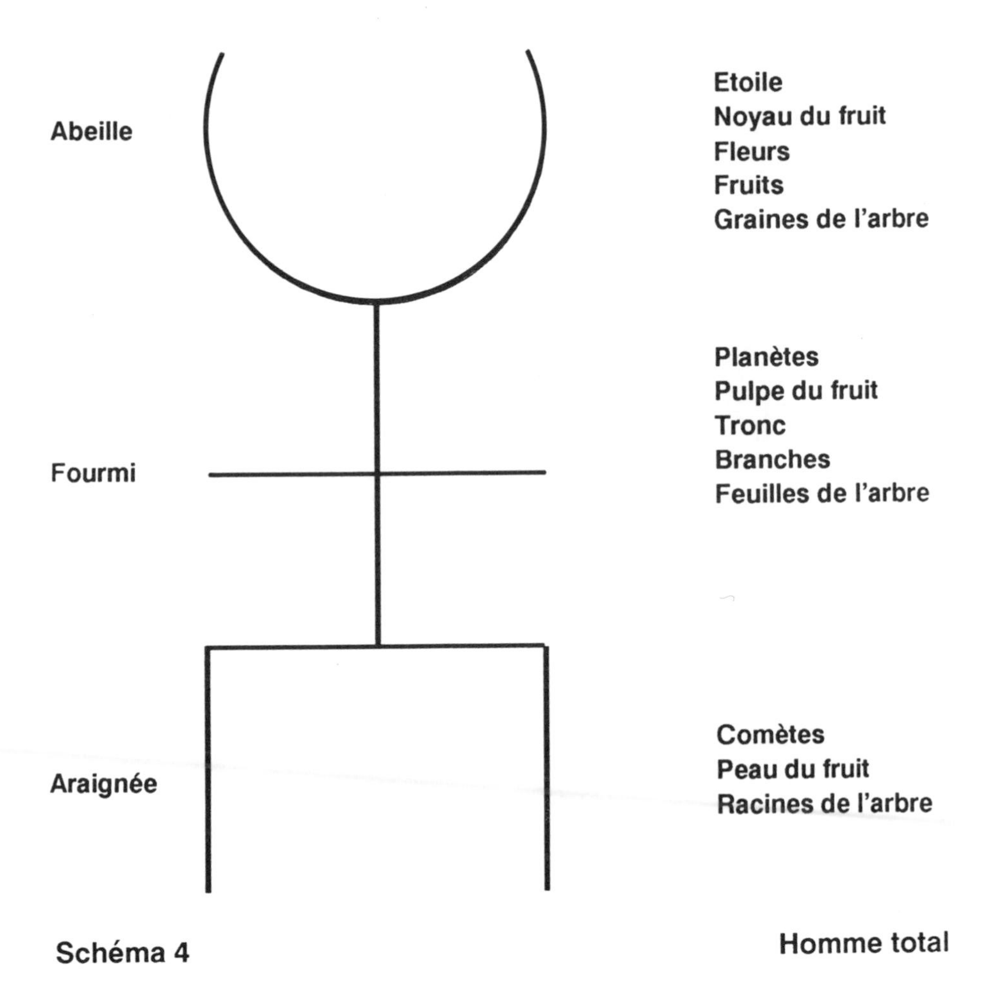

Schéma 4 **Homme total**

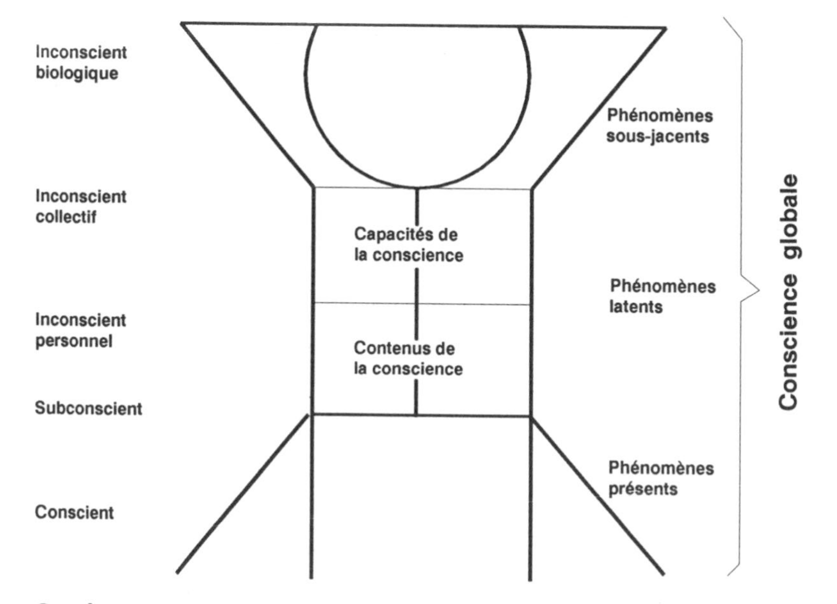

Schéma 5 **Homme total et conscience**

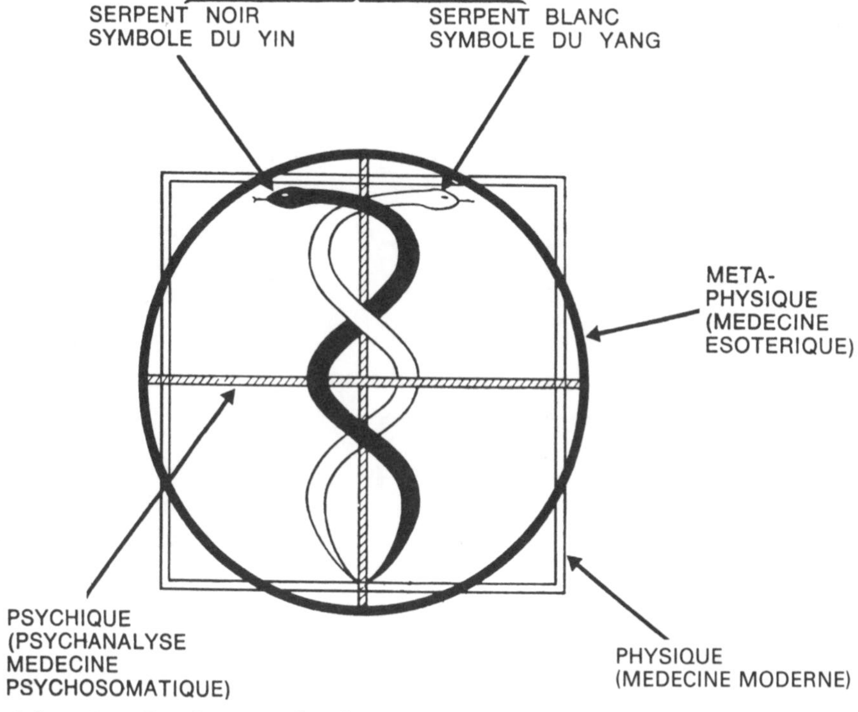

Schéma 6 **Symbole du Collège international de Sophrologie Médicale**

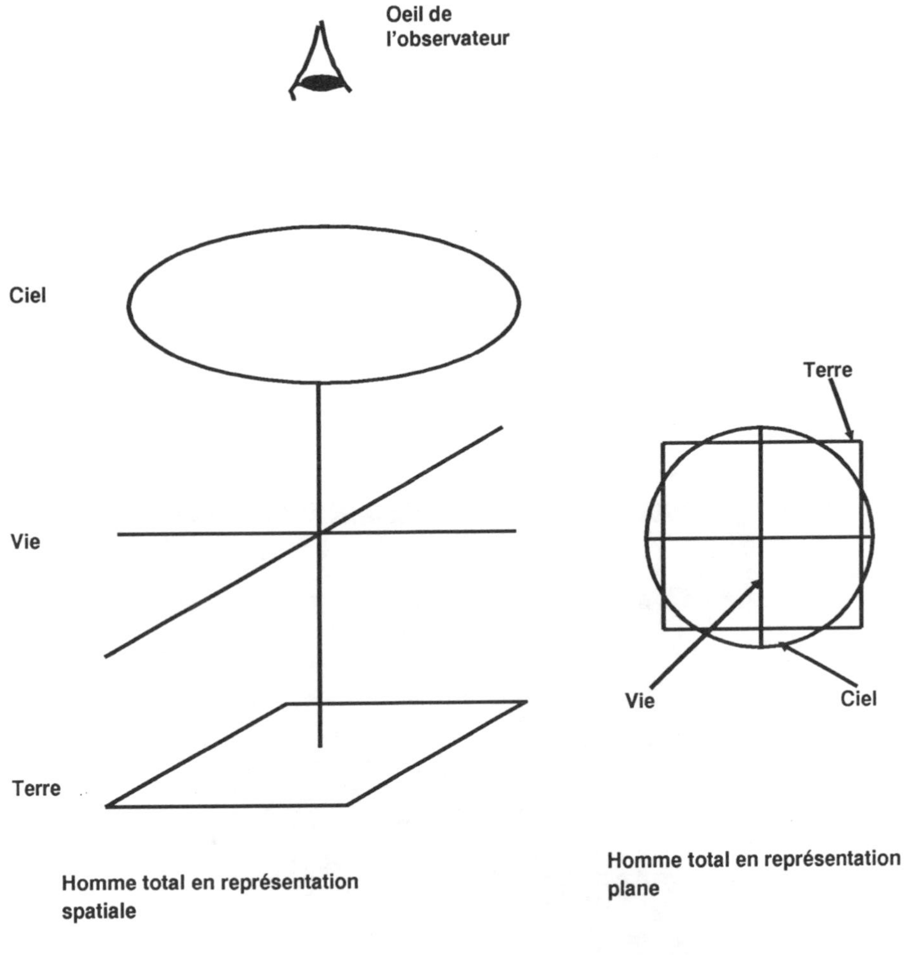

Homme total en représentation spatiale

Homme total en représentation plane

Schéma 7 **Harmonie des trois plans**

structure de la conscience avec les phénomènes présents, latents et sous-jacents (schéma 5) ainsi que les diverses couches de l'iceberg jungien. Le symbole du Collège international de Sophrologie médicale — (schéma 6) représente une superposition du cercle, de la croix et du carré en harmonie. C'est une projection sur un plan de l'image dans l'espace (schéma 7). Les deux serpents, l'un noir, l'autre blanc, représentent le yin et le yang en parfait équilibre et la médecine, symbole élaboré par Thot, dieu de la médecine et des scribes dans l'ancienne Egypte. J'ai proposé ce symbole après avoir compris le sens profond de la sophrologie et après avoir rejeté partiellement l'image de la Fédération mondiale de Sophrologie que j'ai toujours considérée, et considère encore, comme un faux symbole. C'est très important, car un symbole agit sur la conscience globale de l'individu qui le regarde et peut soit stimuler son énergie vitale, soit l'effondrer. J'ai fait le test de kinésiologie * sur des dizaines de personnes et démontré l'exactitude de ces affirmations. On ne peut pas placer le spirituel en bas (schéma 8) (la fleur de lotus du symbole de Caycedo), il ne peut être que tourné vers le ciel ou centré. Vous pouvez vous-même essayer. Appliquons la kinésiologie comportementale. Faites l'expérience suivante. Mettez-vous debout, le bras gauche tendu, face à une autre personne. Votre partenaire appuie sur votre poignet en essayant d'abaisser votre bras alors que vous vous efforcez de résister. Appréciez votre résistance. Regardez maintenant le symbole du Collège international de Sophrologie médicale ; appréciez votre résistance. Recommencez l'expérience en regardant le symbole de la Fédération mondiale de Sophrologie. Essayez avant de continuer la lecture.

Schéma 8 **Symbole de la Fédération mondiale de Sophrologie selon Caycedo**

Dans l'ensemble vous vous êtes certainement aperçus qu'avec le deuxième symbole vous n'avez plus aucune force, votre bras s'est abaissé très facilement. Vous avez alors la preuve de l'efficacité énergétique d'un symbole. L'un a renforcé votre énergie, (il était beaucoup plus difficile de faire baisser le bras), l'autre l'a diminuée. Ce résultat est valable pour plus de 80 % des gens. Un symbole peut renforcer l'énergie d'une personne, n'avoir aucun effet sur une autre ou amoindrir celle d'une troisième ; il n'y a aucune règle stricte. Cependant certains symboles universels, renforcent toujours l'énergie. A partir de maintenant, vous pouvez utiliser le test du bras pour savoir quels images, tableaux, symboles sont bons ou mauvais pour vous. Habituez-vous à vous entourer de choses qui renforcent votre énergie. Vous verrez plus loin que la kinésiologie comportementale peut être aussi utilisée à d'autres fins très intéressantes.

Riche de mes découvertes sur l'homme total, je vais trouver « le Maître » et lui en parler. Avec un sourire sous-entendu il me dit : « Tout ce que vous me dites est exact, mais incomplet. Vous avez oublié l'univers miroir, **l'essentiel**. Avec votre symbole vous ne voyez que l'homme appelé à disparaître, mortel ; or, après la mort, il reste quelque chose d'éternel qui n'apparaît pas. L'homme est une entité ayant sept corps. Il a quatre corps inférieurs et trois corps supérieurs ; ces derniers sont de l'autre côté du miroir, ils sont en dehors de l'espace et du temps, immatériels mais fondamentaux. Voici la représentation symbolique de l'homme total. » Il prit un papier et un crayon et se mit à dessiner (schéma 9) et continua : « Adam, dans le jardin d'Eden, se trouvait entièrement de l'autre côté du miroir, il était éternel. Lorsqu'il a croqué la pomme de l'arbre de la connaissance, il s'est matérialisé et est devenu mortel et sexué, il a pris possession des sept corps. Sept est toujours la totalité. Hermès l'avait déjà mis en évidence : il y a les sept logos planétaires, les sept rayons, les sept vallées, les sept chakras, les sept jours de la semaine, les sept branches de l'étoile, les sept pétales de la rose qui évoquent les sept cieux, les sept degrés de la perfection, les sept sphères ou degré célestes, les sept couleurs du spectre de la lumière, les sept notes de la gamme, les sept péchés capitaux, les sept lois de la vie, les sept ans pour que les cellules du corps humains se renouvellent, en dehors des cellules nerveuses. Hippocrate disait : le nombre sept par ses vertus cachées maintient dans l'être toutes choses. Il dispose vie et mouvement. Il influe jusqu'aux êtres célestes. De plus le chiffre sept est la Clé de l'Apocalypse (7 sceaux, 7 églises, 7 fléaux etc.) Sept est utilisé 77 fois dans l'Ancien Testament. Ce chiffre sept indique le passage du connu à l'inconnu, du visible à l'invisible, du perceptible à l'imperceptible, du matériel à l'immatériel. Le chiffre sept symbolise le cercle complet ; or le cercle est le symbole de Dieu. » Puis le Maître continua : « Vous savez, cher docteur (c'est toujours comme cela qu'il s'adressait à moi) vous pouvez représenter symboliquement l'homme autrement, par un triangle. Chaque côté du triangle représente soit le carré, la croix ou le cercle de votre symbole. Regardez. » Il continua de dessiner (schéma 10).

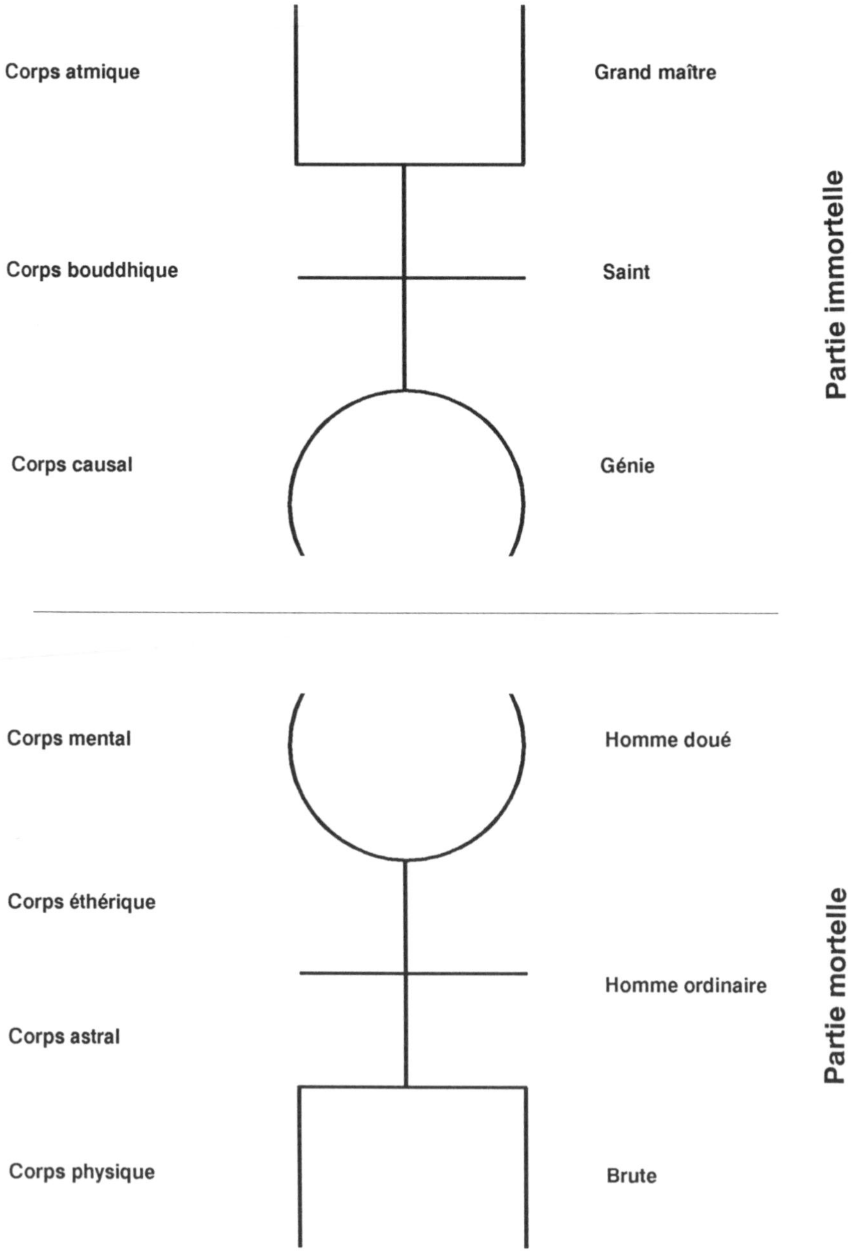

Schéma 9 **Représentation symbolique de l'homme total**

Triangle de
l'homme
Yang
Esprit
Triangle de
la femme
Yin
Matière

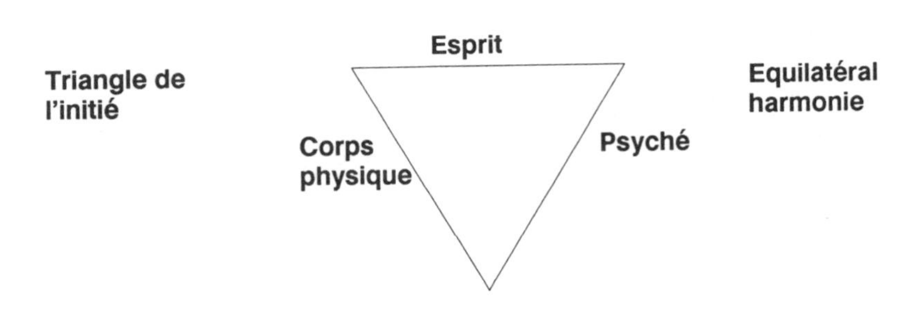
Triangle de
l'initié
Esprit
Corps
physique
Psyché
Equilatéral
harmonie

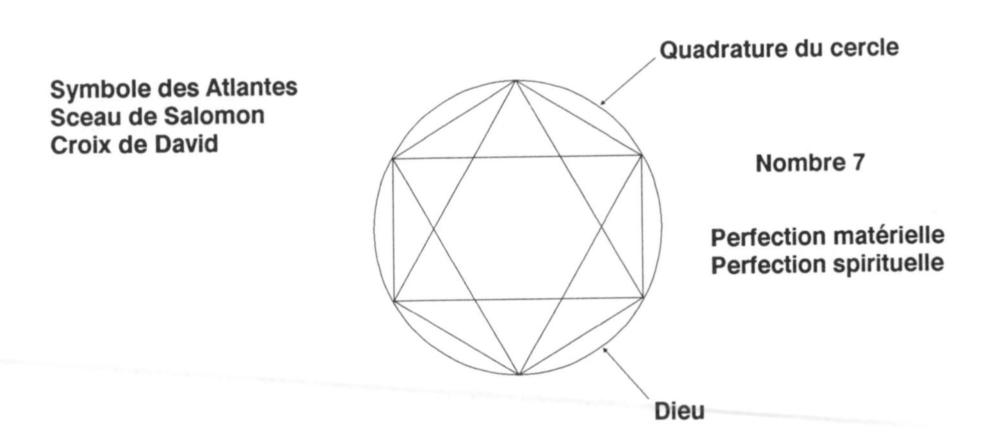
Symbole des Atlantes
Sceau de Salomon
Croix de David
Quadrature du cercle
Nombre 7
Perfection matérielle
Perfection spirituelle
Dieu

Schéma 10

« Le triangle est irrégulier, il n'est pas équilatéral. Si la pointe est dirigée vers le bas, c'est le triangle de l'homme couché sur le ventre ; si la pointe va vers le haut, c'est la femme couchée sur le dos. Les deux sont complémentaire. La femme représente la matière et l'homme l'esprit. Le triangle équilatéral est le symbole de l'initié, c'est la perfection. Deux triangles équilatéraux superposés donnent la croix des Atlantes. puis plus tard le sceau-de-Salomon. Actuellement, c'est la croix de David. Ce symbole très puissant explique l'indestructibilité d'Israël. Il indique la totalité indissociable, le sept ». Je regarde son dessin et lui dis : « La croix de David n'a que six pointes, non sept. » « Vous avez raison, mais vous oubliez une chose importante, le point central. Ce point est le centre d'un cercle qui touche toutes les pointes, ce cercle non représenté est la quadrature du cercle et symbolise Dieu tout puissant. C'est ce qui fait la force extraordinaire de ce symbole ». Puis il poursuivit : « Les sept couleurs issues de la lumière blanche qui traversent un prisme ont une fréquence et une longueur d'onde précises. Chaque couleur a un pouvoir de guérison ou une action énergétique importante sur un système du corps. C'est pourquoi la lumière blanche, les rayons du soleil sont si importants pour la santé humaine. Par exemple, le vert stimule les fonctions hépatiques et digestives, le rouge le système sympathique, le bleu calme car il stimule le système parasympathique, le jaune agit sur les glandes endocrines, le violet stimule la spiritualité ; vous savez, vous devriez utiliser les couleurs pour soigner vos patients ».

Je ressortis de cette discussion passionnante un peu ébahi. Je sentais bien qu'il y avait quelque chose qui m'avait échappé. Quelque chose d'important venait de m'arriver. Une nouvelle porte venait de s'ouvrir dans mon univers intérieur.

En réfléchissant à tout ce que j'avais appris sur les symboles à Zurich, dans l'enseignement de Lavier et dans celui du maître, je me mis à penser au fantastique symbole des pyramides. Comme je devais donner un cours en Egypte, je commençais à lire tout ce que je trouvais sur la grande pyramide de Kheops et découvris des choses intéressantes et beaucoup de stupidités. La pyramide ne représente rien d'autre qu'une flamme gigantesque. Elle symbolise la transformation de la matière en esprit. La base est rigoureusement carrée, ses faces sont des triangles équilatéraux. Son orientation est exactement Nord-Sud. Le méridien terrestre qui passe par sa pointe, divise la terre exactement en deux parties égales en ce qui concerne les terres et les mers. Elle a été construite par le grand Imhotep, architecte initié. Selon certains auteurs, les pyramides ont été construites pour ne pas être détruites par le déluge et dans le but de laisser des traces des civilisations précédentes. La base carrée symbolise la matière, la terre. Le pyramidion, le sommet de la pyramide, symbolise Dieu. La masse est la transformation de la matière en esprit. Selon certains auteurs, le sommet de la grande pyramide n'aurait jamais été terminé. Le grand architecte avait pensé que l'homme n'était pas prêt pour voir l'image de Dieu (le pyramidion). Actuellement, au sommet de la grande pyramide il y a un autel. La pyramide est aussi une pile capable de concentrer l'énergie cosmique. A l'endroit où se trouve la chambre du roi (2/3 de la hauteur) les corps sont imputrescibles. Je suis persuadé que les grandes pyramides construites par les pharaons et par les Mayas et Aztèques du Mexique et de l'Amérique du Sud sont loin d'avoir révélé leurs secrets symboliques. Vue d'en haut la pyramide devient une croix, symbole de la vie. L'axe vertical est le lien entre le ciel et la terre, c'est l'esprit, la partie éternelle de l'homme, qui descend dans la matière. L'axe horizontal est la partie matérielle, périssable. Le point central est Dieu. Chaque quadrant de la croix est en relation avec un élément de la vie : le feu, l'air, l'eau et la terre (schéma 11). Nous reviendrons sur ce thème en parlant de l'alimentation.

Un symbole a une activité énergétique déterminée par sa forme. On parle d'onde de forme. Les vibrations émises ont une incidence directe sur les mécanismes vitaux, sur l'énergie. Par exemple, porter un symbole pendu à une chaîne autour du cou au niveau du thymus * provoque une stimulation permanente de cet organe et assure ainsi une bonne fonction immunologique. Avant de porter un symbole, il faut le contrôler pour s'assurer qu'il est bon pour nous, en effectuant le test du bras. Ce test doit être bien clair pour le lecteur car nous y reviendrons à plusieurs reprises. Je vous rappelle que chaque cellule du corps a la conscience de tout le corps. Il en est de même pour chaque muscle. Pour contrôler l'énergie du corps, les docteurs Goodheart et Diamond utilisent le muscle deltoïde * de préférence. On peut utiliser n'importe quel autre muscle. Pour faire l'exercice de contrôle correctement, procédez ainsi :

1. Debout, tendez votre bras gauche latéralement et horizontalement.

2. La personne qui vous teste se met debout devant vous, sa main gauche sur votre épaule droite, et appuie au niveau de votre poignet gauche avec sa main droite pour chercher à faire abaisser votre bras. Résistez le plus fortement possible (photo 1).

3. Appréciez la résistance pour pouvoir ensuite la comparer pour tester un symbole, un organe, un aliment, un médicament ou tout autre chose, que l'on tient dans la main droite.

Faisons quelques exercices, par exemple, pour démontrer l'action de la pensée. Fermez les yeux et pensez à une catastrophe. Faites le test. Immédiatement votre bras teste faible.

Pensez à quelqu'un que vous n'aimez pas ; faites le test, le résultat est identique. Posez votre main droite sur votre estomac, faites le test. S'il est faible, cela veut dire que vous avez un problème gastrique.

Mettez votre main sur le foie, la rate, le côlon, etc. et testez. Vous pouvez ainsi réaliser un inventaire de votre état de santé.

Mettez votre main sur le thymus, c'est-à-dire posez-la sur votre thorax à quelques centimètres en-dessous du haut du sternum. Faites le test. Pour quatre-vingt pour cent il est faible, le bras s'abaisse très facilement. Cela veut dire que votre thymus ne fonctionne pas assez. Vous êtes en état de stress.

Signification symbolique
de l'axe vertical de la croix

1. Homme vertical
2. Absolution
3. Esprit
4. Saint-Esprit
5. Moi (Dieu) descends en toi
6. Elévation
7. Résurrection

Air

Système ganglions
sympathiques + cerveau

Intellect
Pensées

Feu

Chakras

Glandes endocrines

Ego

Signification symbolique de
l'axe horizontal de la croix

1. Matière
2. Mer - Mère - Marie
3. Femme couchée

---

4. Toi (homme)
5. Ta chair
6. Chute
7. Péché
8. Mort

Système circulatoire

Coeur
Sentiments

Eau

Système osseux + musculaire

Volonté

Mouvements dans l'action
physique

Terre

Solution : fusion de l'homme et de Dieu
Dieu en l'homme
Il n'y a pas d'espace, pas de temps,
pas de substance

Schéma 11 — Symbolisme de la croix

Maintenez la main droite sur le thymus et pensez fortement à une personne que vous aimez. Aussitôt le bras teste fort (Photo 4).

Vous vous rendez compte ainsi de l'influence directe de votre entourage sur votre propre énergie. Vous vivez en permanence avec une personne triste et dépressive, votre énergie vitale s'effondre. Essayez ce test devant un tableau ou en écoutant de la musique. Vous saurez tout de suite si ce tableau vous convient ou non et si la musique que vous écoutez est bonne pour votre santé ou nocive.

Testez votre bras avec de la musique rock, vous serez très étonné du résultat ! Savez-vous que de penser ou de parler d'événements positifs augmente votre énergie vitale ? En sens inverse, le fait de parler ou de penser à des événements négatifs l'effondre. Rendez-vous compte de l'effet des informations à la télévision. La télévision, les journaux ne relatent que les nouvelles catastrophiques. Vous pouvez tester leur effet négatif sur votre santé. Cherchez toujours à vous entourer de beaux objets, de gens souriants, de musique douce et habituez-vous à penser positivement. Vous stimulez ainsi votre énergie vitale. Les éléments qui diminuent l'énergie vitale sont décrits dans le schéma 12.

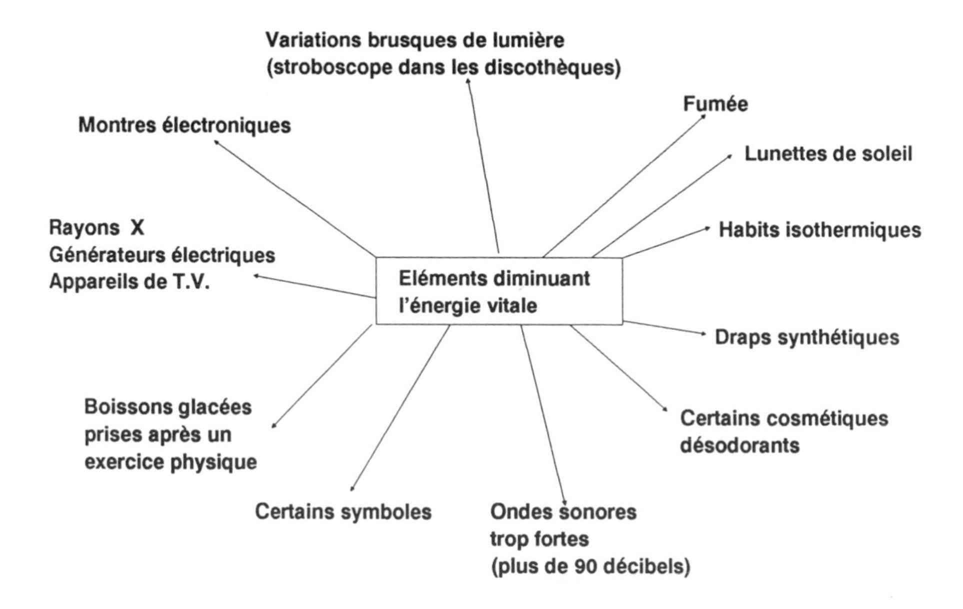
Variations brusques de lumière
(stroboscope dans les discothèques)
Fumée
Montres électroniques
Lunettes de soleil
Rayons X
Générateurs électriques
Appareils de T.V.
Habits isothermiques
Eléments diminuant
l'énergie vitale
Draps synthétiques
Boissons glacées
prises après un
exercice physique
Certains cosmétiques
désodorants
Certains symboles
Ondes sonores
trop fortes
(plus de 90 décibels)

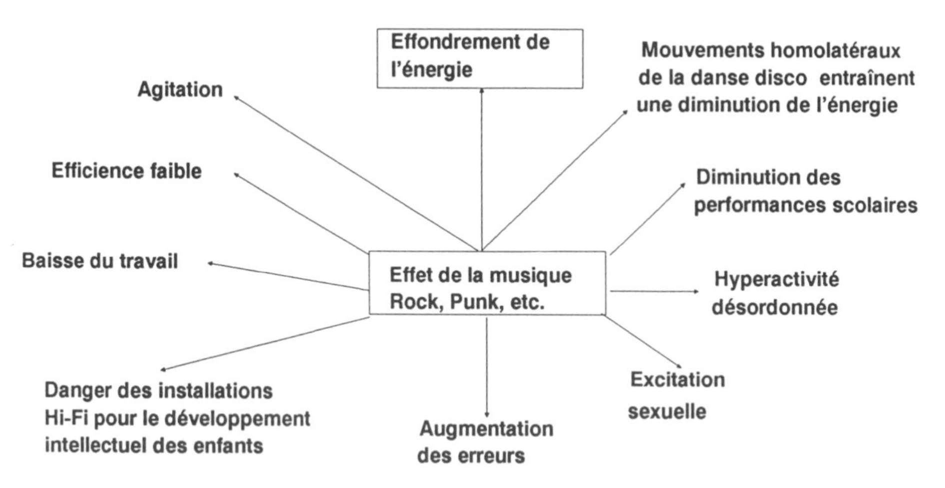
Effondrement de
l'énergie
Mouvements homolatéraux
de la danse disco entraînent
une diminution de l'énergie
Agitation
Efficience faible
Diminution des
performances scolaires
Baisse du travail
Effet de la musique
Rock, Punk, etc.
Hyperactivité
désordonnée
Excitation
sexuelle
Danger des installations
Hi-Fi pour le développement
intellectuel des enfants
Augmentation
des erreurs

Schéma 12

PHOTOGRAPHIES ET SCHÉMAS COULEURS

1 Contrôle de la résistance du bras qui servira de test standard de comparaison.
Mettre un doigt de chaque côté de la montre.

2 et 3 Contrôle d'un aliment.
Si le bras teste faible par rapport au standard l'aliment est toxique pour le sujet au moment du contrôle.
S'il est identique ou plus fort l'aliment est favorable.

4 Contrôle d'une fonction d'un organe, en l'occurence du thymus.
Si le bras teste faible cela correspond à une hypofonction du thymus au moment du contrôle.

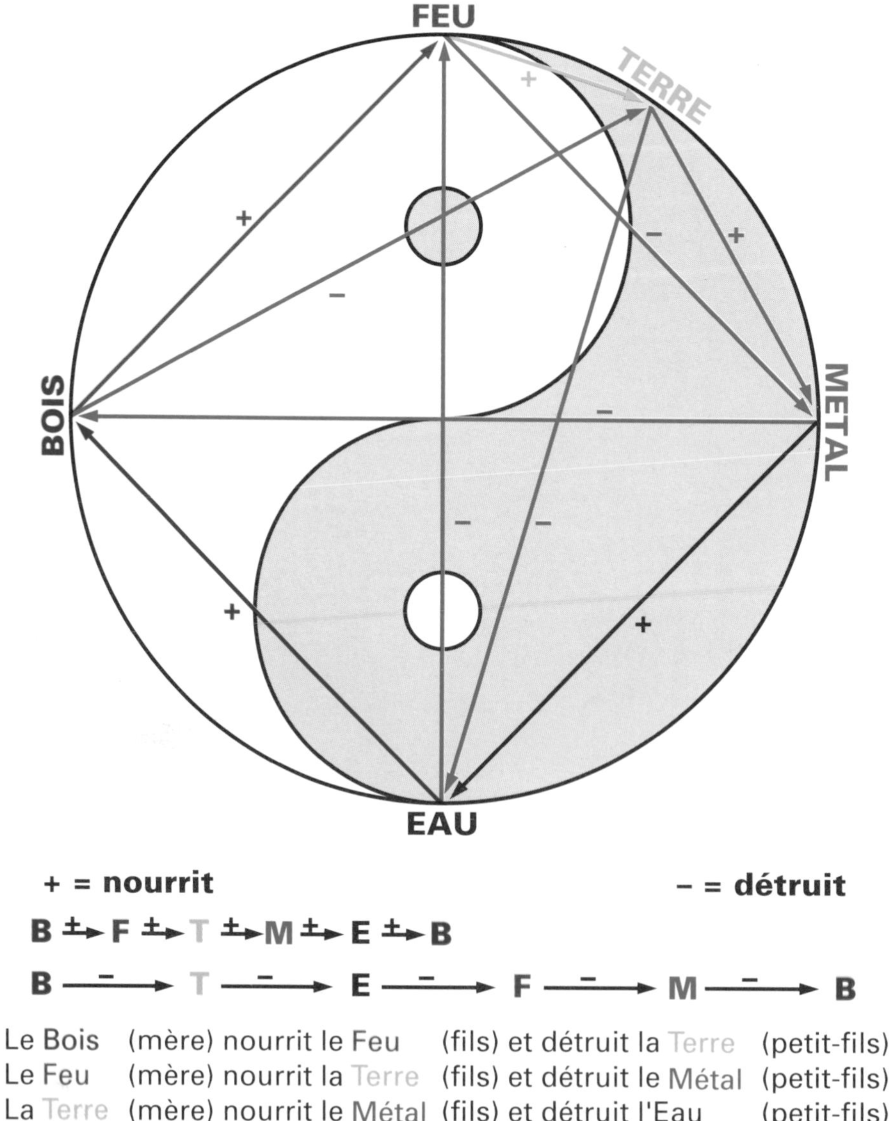

Le Bois (mère) nourrit le Feu (fils) et détruit la Terre (petit-fils)
Le Feu (mère) nourrit la Terre (fils) et détruit le Métal (petit-fils)
La Terre (mère) nourrit le Métal (fils) et détruit l'Eau (petit-fils)
Le Métal (mère) nourrit l'Eau (fils) et détruit le Bois (petit-fils)
L'Eau (mère) nourrit le Bois (fils) et détruit le Feu (petit-fils)

La couleur du Métal est le blanc. Nous devons le représenter en bleu pour des raisons typographiques évidentes. (L'éditeur)

Schéma 26

	Yang			Yin	
	Bois	Feu	Terre	Métal	Eau
Organes	Foie Vésicule biliaire Oeil	Coeur Cerveau Intestin grêle	Rate,pancréas Lymphatique Endocrines Gonades Surrénales Estomac	Poumons Côlon	Sexe,prostate Surrénales Gonades Reins,vessie
Tissus	Musculature striée	Vaisseaux Nerfs	Conjonctif Muqueuses Globules blancs	Peau	Os Cartilage
Sens	Vision	Parole	Goût	Odorat	Ouïe
Psychisme	Mémoire	Conscient	Pensées	Automatismes	Subconscient
Sentiment Emotion	Colère	Joie	Sympathie	Tristesse	Peur
Saveurs	Acide Vinaigre Alcool Citrons Pommes	Amer Café Tabac, thé	Sucré,miel Fruits doux Farines Pommes de terre	Alcaline Poivre Piment Gingembre	Salé Sel Eau de mer
Graines	Blé complet Pâtes	Riz Millet	Maïs	Avoine	Lentilles Soja Légumineuses
Viandes sauvages	Poisson	Gibier à plumes Canard, Oie	Grenouilles Calamars Escargots	Gibier à poil Lapin	Coquillages Crustacés
Viandes domestiques	Gallinacés Oeufs	Ovins et leurs produits	Boeuf	Cheval	Porc
Saison	Printemps	Eté	Toute l'année	Automne	Hiver
Etat atmosphé-rique	Vent	Chaleur	Humidité	Sécheresse	Froid
Points cardinaux	Est	Sud	Centre Chez vous	Ouest	Nord
Couleur	Vert	Rouge	Jaune	Blanc	Noir

Schéma 27 Tableau énergétique en fonction des cinq éléments

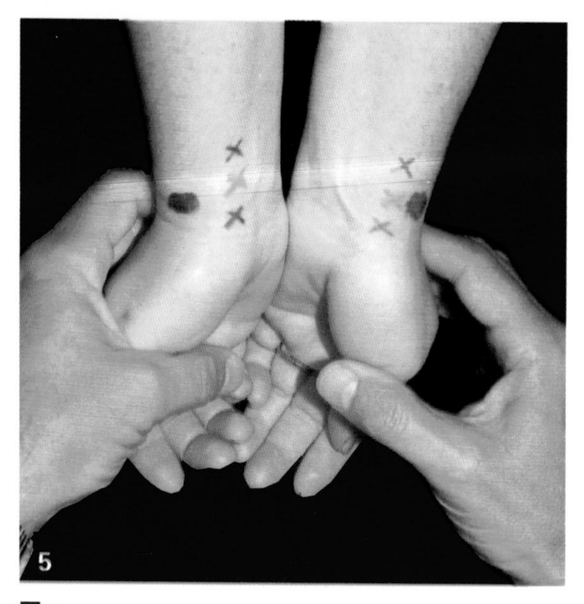

5 Situation générale des pouls sur l'artère radiale. Les gros points noirs représentent l'apophyse styloïde du radius, qui est face à l'élément "terre" (croix jaune) sur l'avant-bras droit (à gauche sur la photo) et l'élément "bois" sur l'avant-bras gauche (à droite sur la photo) (croix verte). Sur le bras droit la croix bleue est le point du pouls du "métal" et la croix noire le point du pouls de l'"eau" droite. Sur l'avant-bras gauche la croix rouge est le point du pouls du "feu" juste en dessus du pli du poignet et la croix noire le point du pouls de l'"eau" gauche.

6 1ère opération : comparaison du pouls "terre" à droite et "feu" à gauche.

7 2e opération : comparaison du pouls "terre" et du pouls "bois".

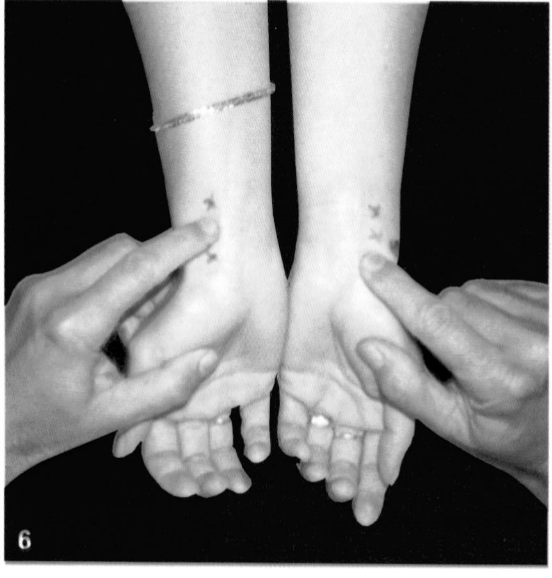

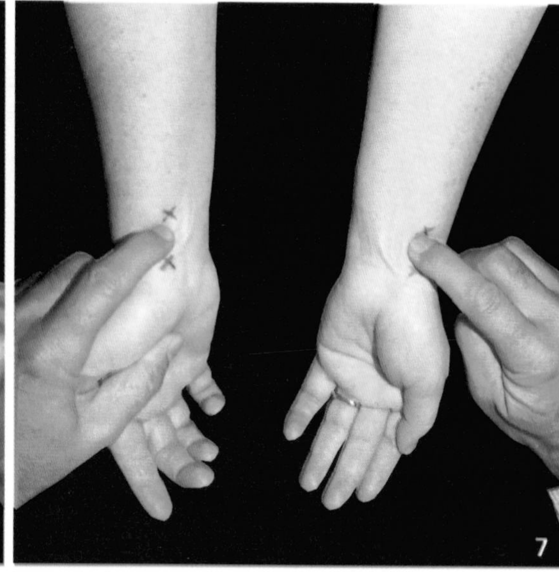

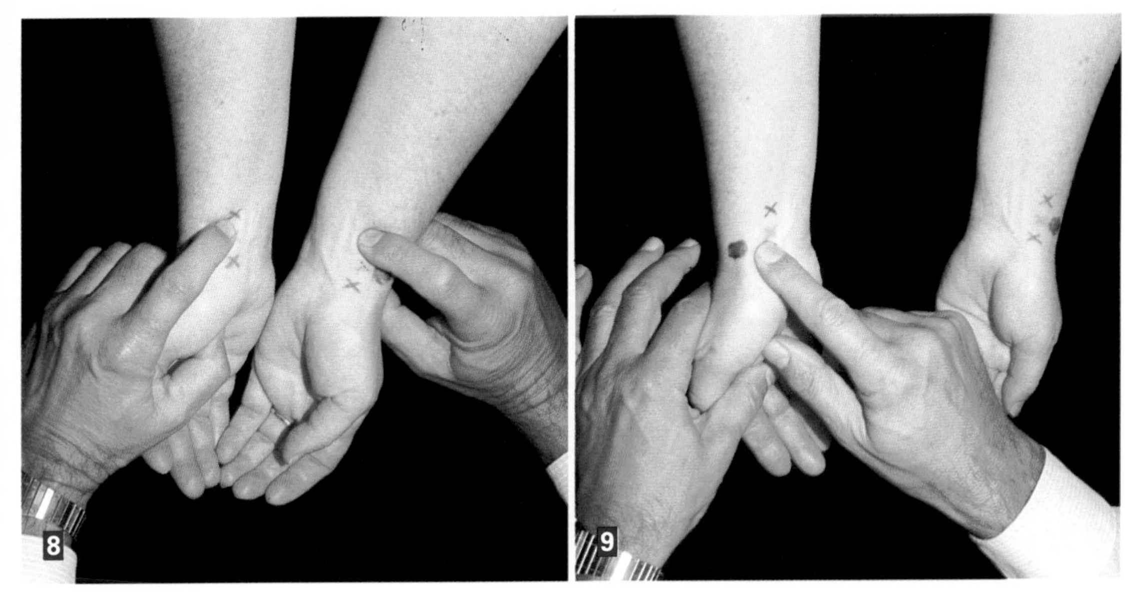

8 3ᵉ opération : comparaison du pouls "terre" et du pouls "eau" gauche.

9 4ᵉ opération : enregistrement de l'intensité du pouls "métal".

10 5ᵉ opération : comparaison du pouls "métal" (précédent) au pouls "terre".

11 6ᵉ opération : comparaison du pouls "eau" droite au pouls "terre".

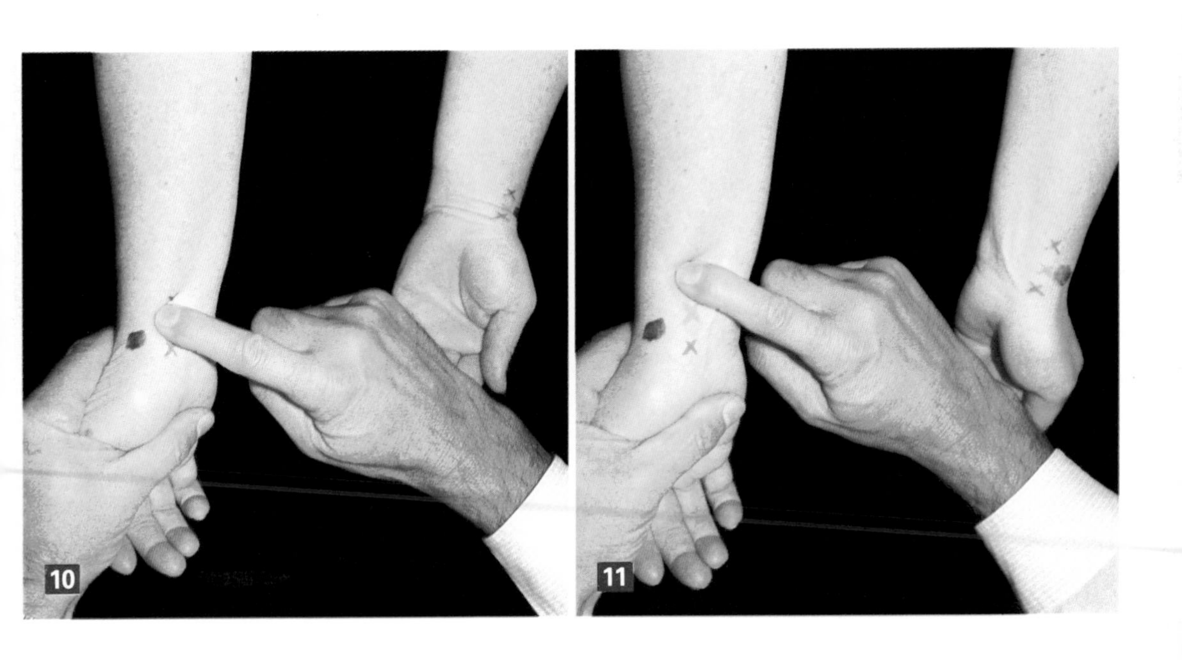

ALIMENTATION ET CONSCIENCE

Un seul habitant sur mille mange correctement. Il habite généralement des régions sauvages. Tous les autres, surtout dans les pays les plus industrialisés, souffrent de malnutrition chronique. L'alimentation est à la base de la vie, c'est notre carburant. Le moteur d'une Ferrari avec un mauvais carburant s'encrasse, tousse, tourne mal et finit par s'arrêter. Pour notre corps le processus est identique, sauf que le corps est un moteur de haute performance, beaucoup plus sophistiqué que celui d'une Ferrari.

Pour garder la ligne, obéir à la mode, bien des gens suivent des régimes : californien, scarsdale, de la clinique Mayo, Pritikine, régime dissocié, cure de citron, etc. Tous présentent un certain intérêt mais aucun n'est capable de résoudre le problème de l'obésité. Il y a aussi toute une liste de régimes diététiques qui n'ont pas pour but de maigrir, mais qui sont sensés apporter une bonne santé et un bon équilibre : le végétarisme, la macrobiotique, l'instinctothérapie, le frugivorisme, etc. Les plus extraordinaires régimes que j'ai rencontrés viennent de deux best-sellers américains : *Life extension*, écrit par deux jeunes chercheurs M. Bearson et S. Shaw et *The 120 years diet* du docteur R. Walford. Si l'on suit le programme du premier, qui a plus de six cent cinquante pages, on doit consommer plus de cinquante pilules par jour. Bien des américains l'appliquent.

Dans le second, l'auteur, à la suite d'expériences faites sur des rats, démontre que pour devenir plus âgé et en bonne santé, il faut vivre dans un endroit froid, être en permanence sous-alimenté et prendre des compléments vitaminiques dont la liste est décrite. En d'autres termes, il faut réfrigérer nos appartements ou déménager pour vivre au Pôle Nord ! Il y a actuellement tant de régimes que plus personne ne sait à quel saint se vouer. Même les diététiciens s'y perdent. Les médecins dans l'ensemble, n'ont aucune idée de diététique ni de chimie alimentaire. Pourtant c'est la base de la vie et de la santé. Le docteur Kousmine a tiré la sonnette d'alarme. L'alimentation dans les hôpitaux dépasse tout ce que l'on peut imaginer en incohérences et en erreurs.

L'humanité est bizarre. Plus elle met son grain de sel dans son alimentation, plus elle est malade. Plus elle est malade, plus elle s'occupe de son alimentation. Il y a actuellement environ trois cent mille êtres humains qui se nourrissent bien. Ils ne suivent pas de régime et ne souffrent pas de maladie liée à leur alimentation. Ce sont les aborigènes d'Australie, quelques tribus d'Afrique centrale et d'Amazonie et certaines ethnies perdues à Bornéo en Nouvelle-Guinée. J'ai vécu avec les Jivaros *. Ils n'ont jamais de cancer ni de maladies cardiaques. Ils meurent de maladies organiques : malaria, thyphus, lèpre, morsures de serpent, ou d'accidents.

La grande majorité des humains sont mal nourris : ils mangent trop et des aliments pollués, ou ils sont sous-alimentés et meurent de faim, ou encore ont une alimentation trop unilatérale. Les suralimentés souffrent de pléthore avec infarctus *, hypertension, diabète, constipation chronique, colite *, obésité, etc. Les sous-alimentés sont atteints de béribéri, d'avitaminose, de scorbut, de rachitisme, de cachexie *, etc. On ne peut pourtant pas dire que ce soit l'organisme humain qui est mal fait, bien au contraire. Avec ce qu'il doit assimiler, trier, évacuer d'alimentation « perverse » actuelle, il devrait être encore beaucoup plus malade qu'il ne l'est. Heureusement, il a une capacité d'adaptation incomparable.

Les habitudes alimentaires sont souvent transmises de génération en génération. Le régime carné d'Argentine est bien connu. Je me souviens avoir été invité par le professeur Gubel * à Buenos Aires à une réception amicale de dix personnes. Nous avons dîné au jardin devant un énorme barbecue sur lequel ont été grillés onze kilos de viande ! Un kilo de viande grillée contient autant de benzopyrène que six cents cigarettes, il ne faut pas s'étonner qu'en Argentine la mortalité vienne surtout de maladies circulatoires avec en priorité l'infarctus du myocarde. En Asie, en Chine particulièrement, l'alimentation principale est le riz avec un peu de poisson. Quatre-vingt pour cent de l'énergie vient du riz. En Nouvelle-Guinée la majorité des habitants ne se nourrissent que de végétaux. Curieusement, les civilisations primitives mourant de maladies organiques manquent de soins médicaux et de médicaments. Notre médecine allopathique pourrait être très active et efficace. Lors de mon séjour chez les Jivaros j'avais eu la prudence de prendre des caisses de médicaments. Leur usage a fait des miracles tels que ces tribus sauvages m'ont traité comme un sorcier, voire un demi-dieu. La majorité de ces remèdes ne sont plus utiles dans notre société et continuent à être administrés pour traiter des troubles fonctionnels. Ils peuvent les supprimer temporairement mais pas les guérir.

Plus il y a de régimes, plus on est malade. Ils se contrarient et se contredisent. Tous prétendent obtenir des résultats étonnants. Il y a un seul point où tout le monde est d'accord : pour diminuer la toxicité alimentaire il faut *supprimer les graisses cuites et le sucre raffiné*. En remplaçant simplement le beurre cuit par de l'huile d'olive pressée à froid ou par de la margarine végétale biologique les maladies du cœur diminuent de vingt-cinq pour cent. Curieusement tout le monde parle de succès, personne d'échecs : les morts restent silencieux.

De toute manière, en Occident on mange trop, surtout trop de viande, de graisses, de laitages, de mets raffinés, trop de calories. Ces excès créent des besoins de régime tels, que de nouvelles maladies mentales ont fait leur apparition : la régimite chronique obsessionnelle et la vitamino-manie. On fait des régimes pour tout : pour grossir, pour maigrir, pour améliorer les performances sexuelles, ou sportives, pour développer les muscles, pour suivre des rites religieux, par superstition, souvent par bêtise et aussi pour satisfaire le besoin inconscient de dépendance infantile. Les nutritionistes ne savent pas que faire, ni dire. A part le problème des graisses et des sucres et éventuellement l'importance des fibres végétales, la chimie alimentaire est devenue si complexe qu'il est difficile de s'y retrouver.

En plus des régimes multiples, il existe des cures de jeûne pour régénérer l'organisme. Cela est vraiment utile, pour autant que les électrolytes du sang soient maintenus en bon équilibre par un contrôle médical sérieux. Chacun peut faire un jeûne complet, sans aliments solides, mais en buvant beaucoup d'eau (que de l'eau) pendant une semaine. Au-delà de cette durée, le contrôle des électrolytes est indispensable. Le jeûne met au repos l'organisme et permet une désintoxication tout à fait valable. Ce sont les docteurs Dewey, Bircher et Carton qui, au début de ce siècle ont découvert les vertus du jeûne. La cure * de raisin en automne ou de citron est également un bon moyen de nettoyage. L'alimentation est aussi en relation directe avec le facteur social, on boit un verre, on va prendre l'apéro; actuellement le nec plus ultra pour les jeunes américains c'est le hamburger avec le coca-cola. Avec un tel régime, hyperriche en polyphosphates *, il est difficile d'échapper à la maladie. L'excès de consommation de phosphates produit chez les jeunes le syndrome psycho-organique (S.P.O.) manifesté par de l'agitation, de l'agressivité et une attirance vers les drogues. Lors de disette, dans des camps de concentration et des pays en guerre où il est difficile de trouver des produits de consommation courante, les maladies de civilisation disparaissent complètement. C'est la preuve que l'on mange beaucoup trop et une alimentation de mauvaise qualité.

L'idée, bien établie, qu'un régime alimentaire peut convenir à tout le monde est absolument fausse. Personne ne réagit de manière semblable devant un aliment. Certains peuvent faire de fortes réactions face à des additifs alimentaires alors que d'autres n'en ressentent pas l'effet. Par exemple le MSG (monosodium glutamate), utilisé dans les restaurants chinois pour relever le goût des mets, rend systématiquement malades certaines personnes alors que d'autres ne ressentent rien. Le MSG peut créer des réactions allergiques graves, même mortelles. C'est un exemple de la pollution alimentaire inutile. Schelton a découvert que l'association de viande et de fruit acide dans un même repas constitue un mélange métabolique catastrophique.

Pour éviter des altérations du métabolisme. L'association des aliments, lors d'un même repas, est très importante. Les tableaux suivants contiennent quelques exemples de mauvaises et de bonnes associations.

MAUVAISES ASSOCIATIONS

	Incompatibles avec
Tous les fruits + carottes rouges	Les protéines et les lipides. (Les fruits doivent être consommés seuls ou entre les repas, jamais en fin de repas).
Les viandes, poissons autres produits riches en protéines (graines, amandes, noix, noisettes, lentilles, œufs, haricots blancs, etc.)	Les hydrates de carbonne (sucres) exemples : les pâtes ne doivent pas être consommées en même temps que la viande ; le riz avec les fruits de mer ou le poisson.
Melons — pastèques	Doivent être consommés seuls, aucun mélange n'est compatible.

BONNES ASSOCIATIONS

	Compatibles avec
Légumes verts (salades, choux, choux-fleurs, brocolis, asperges, courgettes, aubergines, etc.)	Féculents — lipides — protéines
Fruits doux (dattes, pruneaux, bananes, raisins secs, fraises, fruits secs, etc.)	Fruits mi-acides (raisin rouge et blanc, pommes, poires, etc.)
Fruits acides (Tomates, agrumes, kiwis, citrons, cassis, mûres, ananas, etc.).	Fruits mi-acides.
Protéines (viandes, œufs, graines, amandes, noix, lentilles, haricots blancs, etc.).	Légumes verts.
Féculents (pommes de terre, maïs, courges, châtaignes, etc.).	Légumes verts — lipides.

Certains régimes médicaux sont utiles et efficaces pour les gens atteints d'artérosclérose par exemple. Dans de tels cas, il est aussi important d'apprendre aux patients à réagir correctement face au stress. Ce dernier fait monter en flèche le cholestérol quelle que soit notre alimentation. Le docteur Kousmine a mis au point un régime efficace pour lutter contre la sclérose en plaques, une maladie * auto-immune grave. Il est évident que dans les cas d'hépatites certains aliments sont à proscrire.

Après ce bref survol des régimes, j'aimerais proposer au lecteur un concept tout à fait différent de la nourriture en utilisant le symbole de l'homme total. Ce qui va suivre, à ma connaissance n'a été écrit dans aucun livre concernant l'alimentation. Ce régime est basé sur l'alimentation essénienne (époque du Christ) décrite par Bordeaux, sur les idées du docteur Soleil *, sur les concepts métaphysiques de l'alimentation selon maître Aïvanhov, sur la tradition ésotérique chinoise et sur des idées personnelles. Au niveau du carré et de la croix, se trouvent des notions de base alimentaires que chacun devrait suivre plus ou moins. Dans le carré les notions sont quantitatives, dans la croix symboliques. Dans le cercle, la connaissance alimentaire est totalement individuelle, adaptée en fonction de l'état de sa propre énergie ; nous entrons dans le domaine purement qualitatif. Nous allons donc tenter de reprendre le concept diététique à sa base en cherchant à rester aussi clair que possible. Il existe des lignes générales à suivre au niveau du carré et de la croix. L'alimentation devient strictement personnelle dans le cercle.

Avant de me lancer dans le vif du sujet, j'aimerais donner encore quelques explications complémentaires. Nous savons actuellement que le centre de régulation de la faim est localisé à la base du cerveau dans l'hypothalamus *. Dans cette zone on trouve deux groupes différents de neurones de contrôle. L'un est connu sous le nom de « centre de la faim » et déclenche l'incitation à manger. L'autre est appelé « centre de satiété » qui neutralise cette incitation. Chez un individu normal, au moment où les besoins en énergie sont satisfaits (assez de carburant), le centre de satiété inhibe le centre de la faim. La personne cesse de manger, elle n'a plus faim. Si elle continue à prendre de la nourriture, c'est un autre centre, celui de « l'appétit » qui entre en jeu, déclenchant la recherche de satisfaction immédiate, créant un fort excédent de calories se mettant en réserve dans l'organisme sous forme de graisses.

Il arrive aussi, parfois, que le centre de satiété soit déréglé, si bien que l'individu ne sait plus quand s'arrêter de manger. Ces deux derniers cas mènent à l'obésité et à tous les troubles de la nutrition qui la caractérisent (boulimie *).

Il faut se rendre à l'évidence. Beaucoup de gens détériorent leur santé en mangeant au-delà de la nécessité. L'excédent de poids touchant une proportion importante des hommes est la cause d'affections telles que certains diabètes, maladies du cœur, maladies rénales et artériosclérose, qui conduisent toutes à une mort prématurée.

Aux USA, les clients obèses sont considérés comme des assurés à hauts risques et payent un taux plus fort que les autres (le double). Les statistiques indiquent sans aucun doute qu'ils ne vivent pas aussi longtemps que les gens minces.

La Metropolitan Life Insurance Company a établi qu'un excès de poids de dix pour cent sur la norme a pour effet d'augmenter de treize pour cent la probabilité de décès. Le risque s'accroît avec chaque kilogramme en plus. Les sujets dont le poids dépasse la norme de trente pour cent voient la probabilité de décès augmenter de quarante-deux pour cent. Ces chiffres plutôt impressionnants démontrent l'importance de ne pas « vivre pour manger » et de savoir se limiter dans la qualité et la quantité de nourriture ingérée chaque jour.

L'excès de calories peut venir soit de la composition chimique de l'aliment (les denrées riches en hydrates de carbone font grossir), soit de la quantité d'aliments ingérés.

Il y a de multiples raisons de prendre des calories en excès. Des coutumes alimentaires dues à certaines traditions peuvent être déterminantes, comme la consommation, à chaque repas, de pâtes alimentaires en Italie, d'huile d'olive utilisée pour toutes les cuissons en Espagne, de tous les produits très riches en calories. Parmi les aliments qui engraissent, citons outre les pâtes, le pain, les pommes de terre, le sucre, les pâtisseries, le raisin, les bananes et l'alcool sous toutes ses formes. L'excédent énergétique non utilisé par notre corps sera mis en réserve sous forme de graisse qui, peu à peu, conduit à l'obésité.

L'éducation joue aussi son rôle. Beaucoup de parents interdisent aux enfants de laisser des restes. C'est une erreur, car, si l'enfant n'a plus faim, il est absurde de le forcer à finir son plat ; plus tard, il gardera cette habitude et pourra devenir obèse. La croyance qu'un gros enfant est un enfant en bonne santé est tout aussi absurde et sans aucun fondement.

Des facteurs psychologiques peuvent également avoir une influence sur le poids. Pour certaines personnes, manger est un remède contre l'ennui, contre le stress de la vie, et un moyen de lutte contre les soucis. Souvent, l'excès d'aliments est aussi une compensation au manque d'affection ou un signe de difficultés à s'introduire dans la société.

Il existe parfois aussi des causes purement physiologiques de l'embonpoint parmi lesquelles il convient de citer les troubles des glandes endocrines (hypophyse, glande thyroïde) ou une lésion au niveau de l'hypothalamus. Le facteur génétique intervient aussi. La tendance à l'excès de poids est souvent héréditaire.

De toute façon, il est indispensable pour s'assurer le plus de chances de bonne santé d'avoir le poids correspondant à sa grandeur. Comme référence, voici, selon le sexe, la grandeur et la forme du corps, le poids idéal qu'il conviendrait d'avoir (schéma 13).

Rien de ce que nous mangeons n'est naturel, tout est modifié chimiquement par engrais, conservateurs, colorants, stabilisateurs, émulsifiants, goûts artificiels ainsi que par d'autres éléments toxiques pleins de phosphates et de produits souvent cancérigènes. On introduit dans nos aliments des éléments chimiques tels que : acide borique, benzoate de soude, nitrate de potassium, persulfite d'ammoniaque, trichlorure d'azote etc. et, comble de la misère, de l'aniline ; c'est un dérivé du goudron de houille qui, comme chacun le sait, est hautement cancérigène. Pourtant, on l'utilise couramment pour colorer en jaune les pâtes alimentaires, le beurre, les pâtisseries et autres denrées.

*	I	II	III
cm	kg	kg	kg
155	52,5	56	60,5
157,5	54	57,5	62
160	55	59	63,5
162,5	56,5	60,5	65
165	58	62	66,5
167,5	60	64	68,5
170	62	66	71
172,5	64	67,5	73
175	66	69,5	74,5
178	67,5	71,5	76,5
180	69,5	73,5	79
183	71	75,5	81
185,5	73,5	77,5	83
188	75	80	85,5
190,5	77	82	87,5
	Type mince	Type moyen	Type large

*	I	II	III
cm	kg	kg	kg
142	43	46	50,5
145	44	47	51,5
147,5	45,5	48,5	53
150	46,5	50	54,5
152,5	48	51	56
155	49,5	52,5	57
157,5	51	54	59
160	52	56	60,5
162,5	54	58	62,5
165	55,5	59,5	64
167,5	57,5	61,5	66
170	59	63,5	68
172,5	61	65	70
175,5	63	67	72
178	65	68,5	74
	Type mince	Type moyen	Type large

Schéma 13 **Tableau des poids**

Dans certains pays hautement industrialisés, les fruits, par exemple, sont souvent intégralement remplacés dans les confitures du commerce par des succédanés chimiques obtenus à base de chiffons, et le sucre est substitué par des produits réputés cancérigènes. On fabrique des bananes avec du valérianate de méthyle, des poires avec de l'acétate d'amyle, etc. « Certains bouillons en cubes sont élaborés à base de caséine, avec laquelle on fabrique aussi des manches de parapluies, des boutons et peignes. Les escargots de Bourgogne ne sont souvent rien d'autre que des déchets de caoutchouc » (D'Autrec).

Une grande partie de notre alimentation est faussée, truquée, pervertie. On pourrait étudier les artifices de fabrication incroyables de la margarine, de l'huile, des graisses végétales qui, tous, contiennent des produits hautement cancérigènes et toxiques pour l'organisme humain, ce qui n'empêche nullement une publicité tapageuse partout où elle peut se faire. Les fruits et légumes, altérés par l'utilisation d'engrais chimiques qui, eux, détruisent également la terre et ses propriétés de fertilisation naturelles, perdent leurs vertus de végétaux sains et véhiculent les substances toxiques emmagasinées dans notre organisme. On nourrit les végétaux comme on nourrit les hommes, illogiquement, artificiellement. Ils deviennent inéluctablement malades ; on les soigne avec des médicaments chimiques qui les empoisonnent encore davantage.

La santé, dit le docteur Paul Carton, dépend de la façon dont on se plie aux lois naturelles. La maladie n'apparaît que comme la conséquence de violations répétées et accumulées des lois de la vie naturelle. Les infections elles-mêmes ne se déclarent qu'à la faveur des abaissements de résistance du terrain organique, car les microbes sont toujours présents autour de nous. Mais ils ne pullulent que sur les individus dont les humeurs viciées leur offrent un milieu de culture favorable.

On pense actuellement que les microbes ne sont pas forcément puisés dans le milieu extérieur, mais qu'ils font partie de nous-mêmes. Nous les portons en nous, dans nos humeurs, et ce n'est que dans certains conditions très précises qu'ils peuvent devenir virulents et déclencher des maladies données.

On peut se poser une question grave qui mérite toute notre attention : il y a actuellement une augmentation considérable de la mortalité due au cancer dans les pays « civilisés ». Ne sachant pas comment agissent toutes les drogues et autres produits chimiques dans notre organisme, il nous est permis de penser qu'ils provoquent un jour, par accumulation, la mutation d'une cellule qui devient folle et se divise d'une manière anormale et incohérente, pour engendrer une tumeur cancéreuse. Pour lutter contre cette profusion, des collectes nationales, des recherches pour découvrir une thérapie efficace coûtant chaque année des centaines de millions de francs sont effectuées. Au point où en sont les choses, il faut espérer que les chercheurs atteindront leur but. Je suis persuadé que l'interdiction de la vente libre de la majorité des médicaments, l'éducation des médecins à ne pas distribuer des drogues à tour de bras, la suppression de toute publicité pour les médicaments et le contrôle rigoureux de notre alimentation permettraient à peu de frais, une prophylaxie efficace du cancer.

Une autre hypothèse, de plus en plus avancée est celle de l'origine psychosomatique des cancers. Ils seraient donc dus, comme d'autres maladies fonctionnelles, à notre genre de vie, à l'environnement, à la civilisation déréglée dans laquelle nous vivons, au stress exagéré.

VERS UN NOUVEAU CONCEPT ALIMENTAIRE

L'alimentation peut être prise en considération selon la structure de l'homme total sain, au niveau du carré, de la croix et du cercle.

Pendant un repas notre attitude peut avoir une action stimulante sur les trois niveaux, le corps, la psyché et l'esprit.

Pour avoir une idée générale de ce qui va suivre, reprenons le schéma de l'homme total en relation avec l'alimentation et le comportement que nous devrions avoir pendant les repas (schéma 14).

Manger en silence et être présent « ici et maintenant » devrait être la règle.

La quantité d'aliments consommée est fortement réduite si l'attitude est correcte :

1. Mâcher longtemps en parlant le moins possible (carré)
2. Respirer entre chaque bouchée (croix)
3. Penser avec amour aux aliments ingérés (cercle)

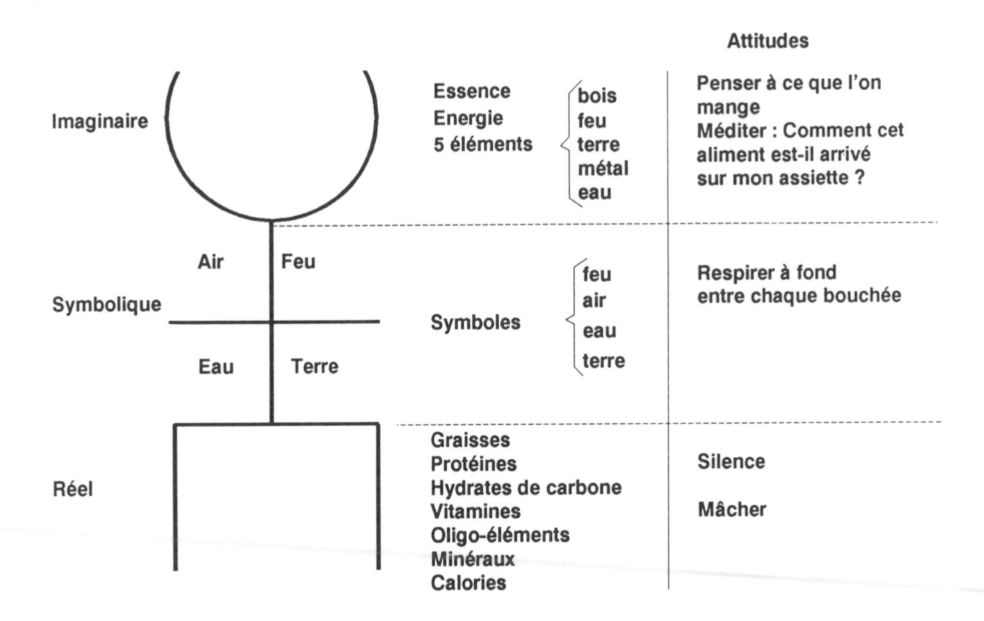

Schéma 14 **Homme total et alimentation**

AU NIVEAU DU CARRÉ

Le taux de maladie par déséquilibre alimentaire est considérable. La consommation moyenne en Occident est de quinze à vingt pour cent de protéines, quarante à quarante-cinq pour cent de graisses et quarante à quarante-cinq pour cent d'hydrates de carbone représentés surtout par des monosaccharides (sucres raffinés). Les aliments sont si « trafiqués » qu'ils manquent de vitamines, de minéraux et d'oligo-éléments. A la suite de ce manque d'éléments essentiels dans la nourriture habituelle, les Américains sont tombés dans la vitamino-manie ou complémento-manie. Pour éviter les maladies de cœur si fréquentes et prévenir le cancer, il faudrait consommer dix à quinze pour cent de protéines, cinq à dix pour cent de graisses et quatre-vingt pour cent d'hydrates de carbone polysaccharides *. Cela revient à dire qu'il faut supprimer la viande, considérer les graisses cuites comme hautement toxiques, ainsi que le sucre raffiné, manger beaucoup de fruits, de légumes, de graines, de noix, de produits frais. Pritikine, créateur des *longevity centers* aux USA, utilise ces proportions dans ses centres avec un succès total en ce qui concerne les troubles cardiaques et circulatoires.

La majorité des ouvrages diététiques écrits à ce jour ne parlent que de quantité et sont en relation avec le carré. Nous ne nous y attardons pas et passons immédiatement à l'alimentation en relation avec la croix et le cercle.

AU NIVEAU DE LA CROIX

La croix est le symbole de la vie qui ne peut exister qu'en fonction des quatre éléments : feu, air, eau, terre ; un seul de ces éléments manquant et c'est la mort assurée. En supprimant le soleil (feu) nous sommes immédiatement congelés, sans air après trois minutes nous mourons, sans eau nous ne pouvons survivre que quelques jours et sans terre bien sûr la vie n'est pas possible. Ces éléments sont des symboles sacrés et font partie de notre alimentation, il faut donc en consommer.

Le feu

Dire à quelqu'un « Tu dois manger du feu » paraît délirant et pourtant c'est la base de la vie. Le feu est le soleil et sa lumière blanche. Cette dernière est à la fois une onde et une matière (photons), elle est porteuse d'énergie vitale. Elle est constituée des sept couleurs fondamentales de l'arc-en-ciel : rouge — orange — jaune — vert — bleu — indigo et violet. Chacune a une longueur d'onde spécifique stimulant les chakras *, centres d'énergie cosmique vitale situés le long de la colonne vertébrale. Chaque couleur stimule un système et agit soit à travers les yeux, soit sur la peau. La chromothérapie, connue surtout aux USA, utilise les fréquences des couleurs à des fins thérapeutiques.

Il est reconnu que la lumière du jour pénétrant dans l'œil sans vitres (fenêtres ou lunettes) produit une stimulation de la sécrétion de mélatonine, hormone importante sécrétée par l'épiphyse * ou glande pinéale. Cette hormone mal connue semble agir comme chef d'orchestre de tout le système à sécrétion interne et agirait directement sur l'hypothalamus * et l'hypophyse *. Si l'exposition à la lumière directe est insuffisante (au moins vingt minutes par jour) il est probable que des dérèglements hormonaux s'installent.

En ce sens, les lunettes de soleil utilisées abusivement auraient un effet nocif sur l'équilibre hormonal. Nos yeux, sauf en cas de maladie, sont faits pour s'adapter à toutes les lumières. Le seul moment où des lunettes de soleil sont recommandables est au bord de la mer ou en haute altitude pour éviter l'excès de luminosité due à la réfraction de la lumière sur l'eau ou la neige.

La lumière du jour est donc une nourriture importante. Les lunettes en plastique ou les verres de contact laissent passer les ondes lumineuses sans les altérer. L'exposition modérée du dos au soleil stimule les chakras et apporte de l'énergie vitale. Ainsi l'aliment « feu » se consomme par les yeux et par la peau.

L'air

L'air est un aliment très important non seulement par l'oxygène qu'il contient mais aussi à cause de son énergie vitale cosmique, le Prâna pour les indiens, le Ki pour les japonais, le Tchi pour les chinois. L'oxygène est la nourriture fondamentale de toutes les cellules de notre corps et tout particulièrement des cellules du cerveau. L'apprentissage d'une respiration correcte correspond partiellement à l'apprentissage d'une alimentation correcte. Je rappelle que le Prâna pénètre par le nez. Le plafond du nez a une anatomie très spéciale : la muqueuse y est très fine, l'os est comme une feuille de papier criblée de trous (la lame criblée de l'éthmoïde), les méninges sont très fines, si bien qu'il y a un contact quasi direct entre l'air à respirer et le cerveau (schéma 15).

D'après les Orientaux c'est à cet endroit qu'entre le Prâna dans le corps. C'est la raison pour laquelle, entre chaque bouchée, il est souhaitable de faire une respiration profonde et en plus de s'habituer à faire régulièrement des exercices respiratoires pendant la journée en respirant exclusivement par le nez. La relaxation * dynamique de Caycedo, particulièrement celle du premier degré, revêt un caractère symbolique d'alimentation fondamental.

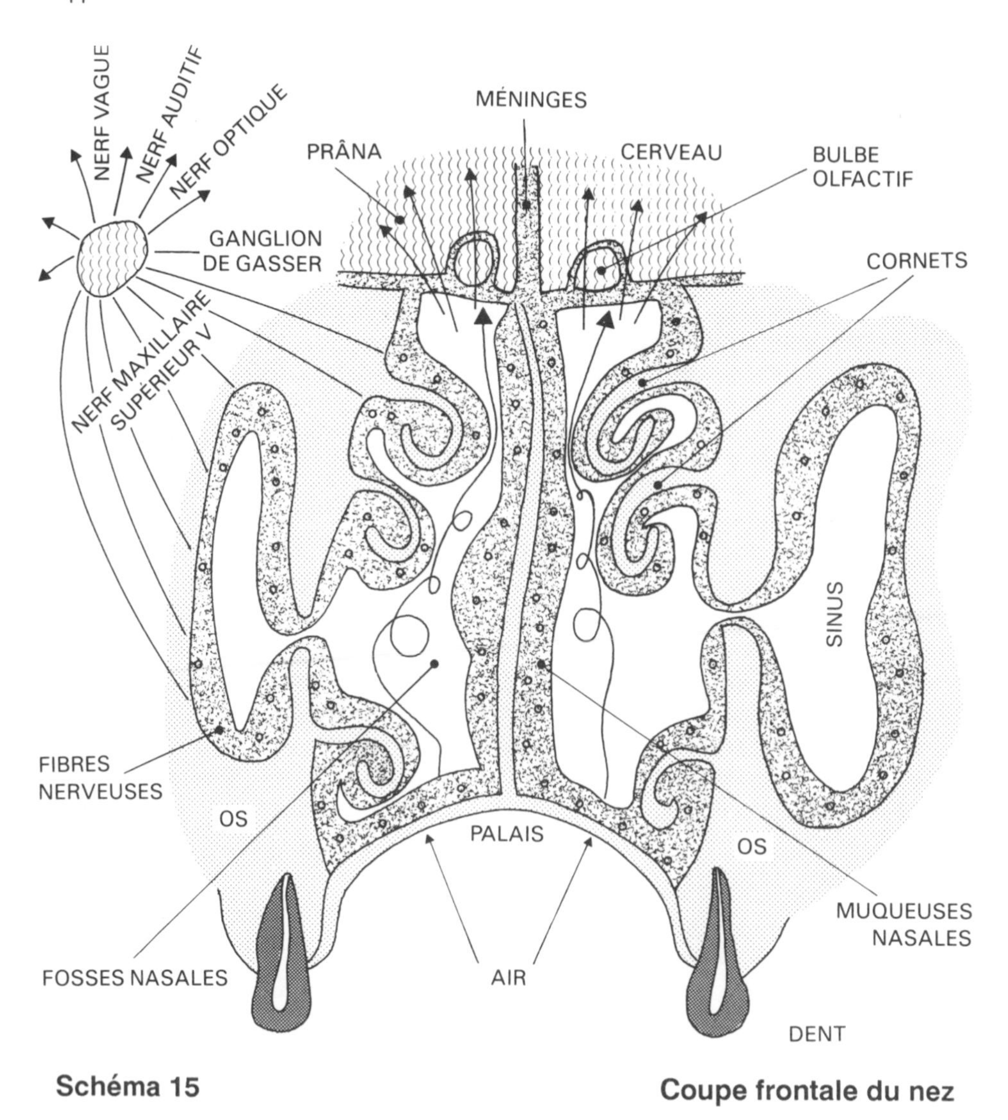

Schéma 15 **Coupe frontale du nez**

L'eau

Plus de soixante-quinze pour cent de notre corps est constitué d'eau. Eliminée par les urines et la sudation, elle doit être régulièrement remplacée par les liquides que nous buvons. Leur qualité est très importante. Il faudrait boire au moins trois litres de liquides par jour entre les repas. La majorité des boissons de table que nous ingérons sont toxiques et de mauvaise qualité.

Tous les *soft drinks* pleins de sucre, de phosphates et d'autres produits chimiques sont à proscrire. Les alcools, le café, le thé sont biologiquement nocifs. Le lait de vache est fait pour les veaux, pas pour les hommes. La majorité des gens n'ont pas d'enzymes pour sa digestion. Les eaux minérales sont le plus souvent trop alcalines et trop riches en sels, donc mauvaises pour la santé. L'eau du robinet est souvent moins néfaste que certaines eaux minérales même si elle contient du chlore. Les ions chlore sont utilisés par notre système nerveux au niveau de la gaine de myéline des nerfs pour la transmission de l'influx nerveux. Certaines eaux du commerce répondent au critère « eau » tel que nous le concevons. Elles ont été contrôlées bioélectriquement selon la technique de Vincent. Les meilleures semblent être la Volvic, l'eau de Thonon et comme eau de cure, l'hydroxydase. Il y en a certainement d'autres. Les jus de fruits pressés et consommés tout de suite sont excellents pour autant qu'ils proviennent de fruits frais le moins traités possible.

La terre

La terre est représentée symboliquement par l'alimentation solide. On peut répartir ces produits « terre » en quatre catégories (schéma 16) : Les aliments biogéniques, biodynamiques ou biostimulants, biostatiques et biocides.

Les aliments biogéniques stimulent et créent la vie. Ce sont les graines germées et les jeunes pousses consommées crues. La germination est facile à obtenir pour la majorité des graines. Il existe plusieurs procédés. Des appareils spéciaux, des germoirs peuvent être utiles. Le plus simple moyen de faire germer des graines est le suivant. Mettre dans un sac en gaze des graines non traitées sans les mélanger (blé, lentilles, alfafa, fenugrec, pois, persil, etc.) ; tremper le tout dans de l'eau pendant une nuit. Le matin rincer le sac sous le robinet d'eau courante et le suspendre dans un endroit sombre. Rincer matin, midi et soir sous l'eau douce. Les graines germent entre deux et quatre jours. Les germes doivent être blancs pour garder toute leur valeur, c'est pourquoi la croissance doit se faire à l'abri de la lumière. Avant de les manger, il faut les rincer sous l'eau pour enlever les moisissures de surface. Ils doivent être consommés crus. Cet aliment contient tout ce dont l'être humain a besoin pour vivre en parfaite santé. Il est très économique et en même temps délicieux. On peut parfaitement ne vivre qu'avec des graines germées et de l'eau; l'équilibre protéines, graisses et hydrates de carbone est parfait ainsi que le dosage des vitamines, minéraux et oligo-éléments.

Le problème de la sous-alimentation pourra être partiellement résolu en augmentant la production, très économique, de graines au niveau mondial. Chacun peut, chez soi, aisément et rapidement faire germer des graines, au moyen d'un ustensile simple.

Aliments biogéniques		Aliments biostimulants	
Stimulent la vie et la créent	Graines germées Jeunes pousses	Stimulent la vie	Graines Fruits crus Légumes crus Noix Oeufs crus du jour (de poules libres)
Aliments biostatiques		**Aliments biocides**	
Maintiennent la vie mais pas la santé	Légumes traités Poulets de fermes Fruits traités Viande d'animaux élevés en liberté Produits congelés Fromages à pâtes dures Tout ce qui est cuit	Tuent la vie	Conserves Viandes Fromages à pâtes molles Poulets de batterie Sucre Oeufs de batterie Graisses, beurre Produits contenant : des saveurs artificielles des colorants des stabilisateurs des conservateurs, etc.

Schéma 16 **Schéma général des aliments "terre"**

Les aliments biodynamiques ou biostimulants sont représentés par les fruits, légumes, noix, mangés crus et le moins traités possible. Ces aliments ne créent pas la vie mais la stimulent. Ils devraient être la base principale de notre alimentation. Les œufs consommés crus et venant de poules élevées au sol entrent dans cette catégorie.

Les aliments biostatiques sont représentés par tous ceux qui ont été traités, conservés plusieurs jours, ou congelés. Tous les aliments cuits entrent dans cette catégorie. La cuisson altère la structure moléculaire pouvant à l'extrême rendre un aliment toxique.

Les aliments biocides ou biocidiques tuent la vie. Ils détruisent les cellules et la biologique normale. Ce sont toutes les conserves sous n'importe quelle forme et tous les produits contenant des colorant, stabilisateurs, parfums artificiels, conservateurs, etc. Les aliments biocidiques ont été inventés par l'homme pour sa perte. Ils empoisonnent jour après jour ses cellules par les substances nocives qu'ils contiennent. Ces aliments devraient être écartés de notre alimentation. La viande contient beaucoup trop de graisse que la cuisson à haute température rend toxique, ainsi que des produits chimiques dus à la mauvaise alimentation du bétail et à tous les médicaments injectés dans les animaux (Valium *, tranquillisants, hormones, antibiotiques, etc.)

Plus jeune je consommais passablement de viande, mais chaque fois que je fréquentais un ashram, un centre ésotérique ou un lieu de méditation, l'alimentation était toujours exclusivement végétarienne. J'avais de la peine à l'accepter. A chaque expérience, j'en demandais la raison. J'ai toujours reçu la même réponse qui pour finir m'a convaincu : « Pour digérer la viande, il faut au minimum trois jours. Pendant ce temps le sang est centré sur le tube digestif ; comme notre but est le développement de nos fonctions supérieures cérébrales, nous avons besoin de sang dans le cerveau, non dans le ventre. » Les autres réponses complémentaires étaient : « La viande est un aliment mort qui provoque des putréfactions dans le tube digestif, elle est d'autre part polluée par la manière dont les animaux sont nourris. » « En mangeant de la viande, au niveau métaphysique, on consomme les instincts animaux. Un homme qui mange beaucoup de viande devient violent et incapable de maîtriser ses instincts. » Cela fait réfléchir. Curieusement, les lamas, surtout au Népal et au Tibet, sont de gros mangeurs de viande de yack. La qualité y est très différente car ces animaux vivent à l'état semi-sauvage, mangent dans des prairies qui n'ont pas été aspergées d'engrais artificiels et ne subissent aucun traitement chimique. Dans ces conditions la viande de yack est probablement biostatique.

Le beurre est biocide ainsi que tous les sucres raffinés (monosaccharides) : confiture, gâteaux, pâtisseries, chocolats, etc. Le sucre peut être remplacé par le sirop d'érable ou le miel « garanti pur » qui sont des polysaccarides. Les œufs provenant de poules élevées en batteries sont biocides tout comme la viande de ces animaux. Ils vivent dans un stress constant et sont nourris partiellement de produits chimiques. Les fientes sont réutilisées dans leur alimentation. Souvent des colorants sont rajoutés aux graines pour rendre le jaune des œufs plus jaune et plus cancérigène (Aniline).

Les quatre éléments de la croix peuvent être utilisés dans notre vie au niveau du symbole. Par exemple en aspirant au-dessus de la flamme d'une bougie (flamme = feu, air = air, cire fondue = eau, cire dure = terre). Il est aussi possible de jeter ses défauts, ses soucis, ses stupidités, comme le dit le maître, symboliquement dans le feu de votre cheminée. Nu dans le vent, on peut imaginer que l'air passe à travers le corps et en enlève les impuretés et les vices, que dans le bain, l'eau en s'écoulant les emporte aussi. Les doigts dans la terre, on peut lui demander d'absorber les soucis, les tensions et les défauts. Cette pratique a lieu régulièrement dans bien des centres ésotériques. Je ne peux que vous la recommander.

L'effet de la musique

Aussi paradoxal que cela puisse paraître, les vibrations sonores sont aussi une forme de nourriture, agissant directement sur notre biologie, comme les aliments. Elles pénètrent le corps par trois voies : l'oreille, les os du crâne et la peau, selon leurs fréquences.

L'effet de la musique a fait l'objet de nombreuses recherches dans plusieurs pays, notamment aux USA. Des plantes variées ont été cultivées dans quatre serres dans des conditions identiques (terre, arrosage, lumière et souches semblables). Dans la première serre, il n'y a pas de musique, elle sert de témoin. Dans la seconde, est diffusée une musique symphonique classique, dans la troisième du jazz et dans la quatrième de la musique rock variée. L'intensité du son est de quatre-vingt-dix décibels. Le résultat de cette étude comparative montre que dans la seconde serre, les plantes poussent plus vite et sont plus vigoureuses que dans la serre témoin ; la croissance est identique dans la troisième serre avec le jazz, alors que dans la quatrième serre, les plantes dégénèrent et finissent tout simplement par mourir. On peut alors se rendre compte de l'effet que produisent les sons diffusés à cent quarante décibels, dans les discothèques et des concerts rock, surtout avec le hard rock. C'est une véritable catastrophe pour la jeunesse. Cette musique pousse à la drogue, la sexualité débridée et la délinquance. A la longue, elle tue la vie et met en danger la santé de ceux qui l'écoutent régulièrement. On peut faire un parallèle avec la nourriture et classer la musique en quatre catégories :

1. La musique biogénique

Elle correspond à l'écoute de musique classique par diffusion holophonique *. En trois dimensions, sans aucune déformation due aux membranes des hauts-parleurs ordinaires, elle agit directement comme générateur de vie et stimulant des fonctions biologiques. L'intensité à l'audition ne doit pas dépasser quatre-vingt-dix décibels.

2. La musique biostimulante

Elle provient de la même musique que sous chiffre 1, mais diffusée avec des installations standard de Hi-Fi stéréophoniques. Elle stimule la vie, mais ne la crée pas.

3. La musique biostatique

Elle est produite par le jazz et les musiques électroniques en général. Ce dernier point reste encore à démontrer. Il est possible que certaines compositions fassent partie de la seconde catégorie. La musique biostatique maintient la vie, mais ne la crée, ni ne la stimule.

4. La musique biocide

Cette catégorie est représentée par n'importe quelle musique diffusée avec plus de quatre-vingt-dix décibels. Elle tue la vie. Comme nous l'avons déjà dit, dans les discothèques et les concerts rock l'intensité est en général entre cent quarante et cent cinquante décibels !

L'écoute des première et seconde catégories est très utile pour les femmes enceintes et pour toute personne qui désire stimuler son système * immunitaire.

Bioélectronique et alimentation

Au niveau de la croix, toujours symbole de la vie, Louis-Claude Vincent *, professeur d'anthropologie à la Sorbonne, a mis au point la bioélectronique dans les années soixante. Je ne détaillerai pas cette théorie, mais montrerai simplement son impact sur l'alimentation au niveau de la croix. Vincent prend électroniquement trois mesures dans le sang, l'urine et la salive : le potentiel acide (pH), le potentiel d'oxydo-réduction (rH_2) et la résistivité électrique (Rô). Il s'est aperçu que des individus sains se trouvaient près du centre de la croix avec des mesures bien établies : (schéma 17) pH 7,1, rH_2 21 et Rô entre 200 et 230. Après avoir fait des centaines de mesures sur des soldats du bataillon * de Joinville, il en fit sur des centaines de malades et put établir une carte des maladies sur le plan bioélectronique (schéma 18). Il a trouvé que le cancer se déclenche toujours dans un terrain oxydé, alcalin et à faible résistivité électrique (riche en sels). Il a aussi mesuré les aliments de consommation courante et a pu faire un rapport précis entre cancer et alimentation. Il a mesuré ensuite la majorité des médicaments. Les schémas 19 et 20 représentent en détail la bioélectronique. Il existe actuellement un appareil, le bioélectronimètre de Vincent, qui mesure automatiquement tous les paramètres avec une haute précision. Cette méthode diagnostique et thérapeutique fait probablement partie de la médecine de l'avenir. Elle est surtout utilisée en Allemagne et commence à faire son apparition aux USA. La célèbre clinique Mayo possède un de ces appareils et l'utilise systématiquement. Grâce à une telle méthode, on ne pourra plus faire d'erreur de prescription médicamenteuse. Il suffit de prescrire le médicament qui, bioélectriquement parlant, se trouve dans le quadrant opposé à la maladie, pour remettre le patient au centre. C'est grâce à cette recherche que Vincent, dont le fils est mort à la suite d'un vaccin contre la variole, a pu expliquer pourquoi ce vaccin a tué beaucoup de gens. Fleming, l'inventeur de la pénicilline a été, sans le savoir, la première victime de sa découverte. Il fit une pneumonie, ce qui le porta en bas à droite. Pour se soigner, il prit de la pénicilline (en haut à gauche). Cela le porta en état de convalescence dans le quadrant supérieur gauche (schéma 21). Normalement, au bout de quelque temps, par l'homéostase naturelle du corps, il aurait dû retourner au centre et retrouver la santé.

Malheureusement une conférence étant prévue aux Indes, il dut être vacciné contre la variole (tout en haut à gauche). La somme pénicilline plus vaccin l'a porté hors du cadre de la mort. Il ne faut jamais subir une vaccination antivariolique après un traitement antibiotique ni de traitement antibiotique dans la période qui suit la vaccination. Cela produit la plupart du temps des méningites graves dont l'issue la plus fréquente est la mort ou un handicap mental. Le fils de Vincent a été victime du même processus souvent méconnu.

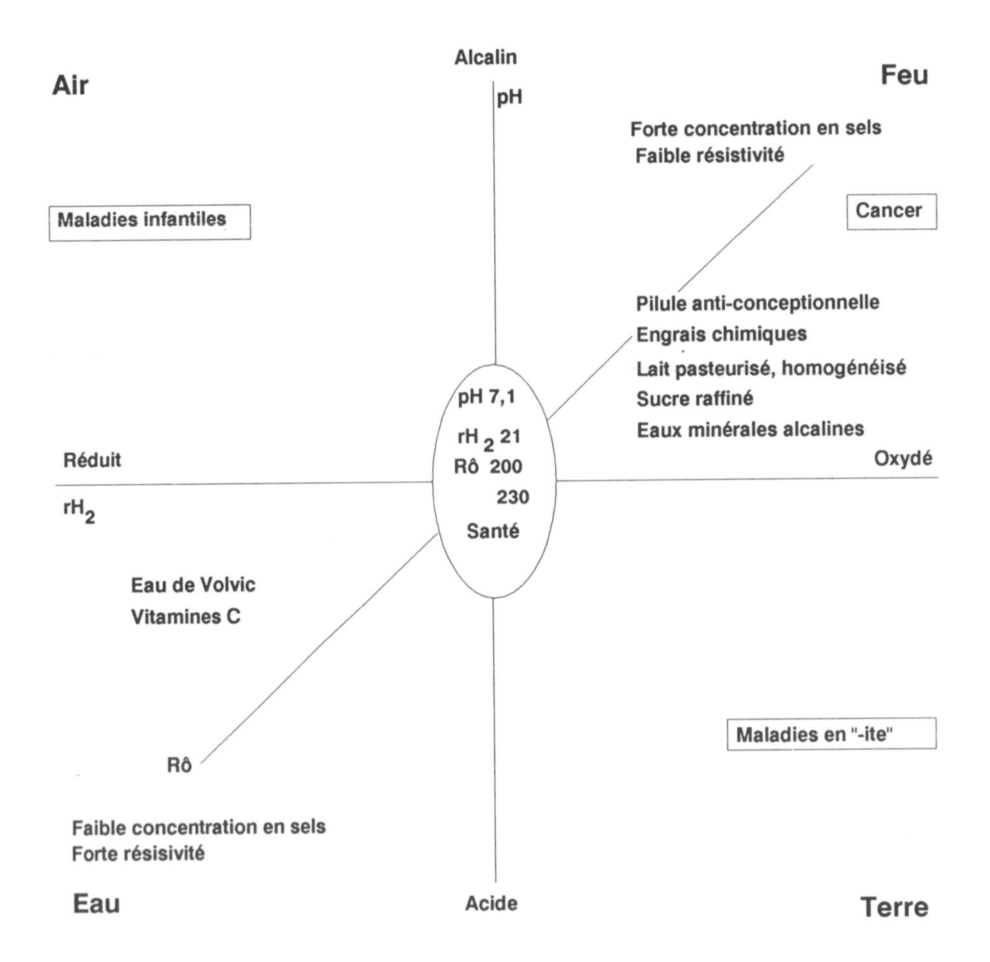

Schéma 17 Bioélectronique de Vincent

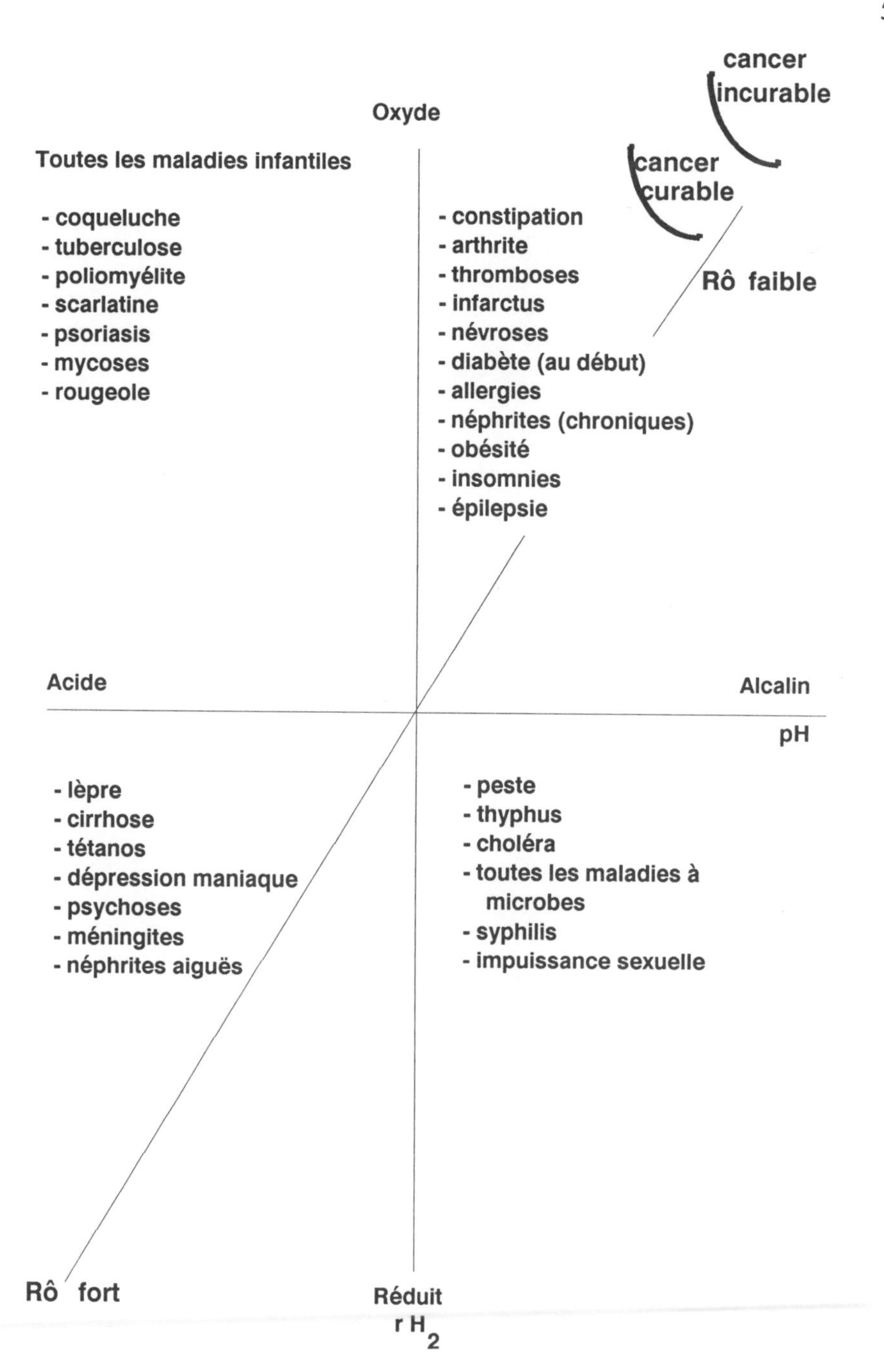

Schéma 18 Carte bioélectronique des maladies

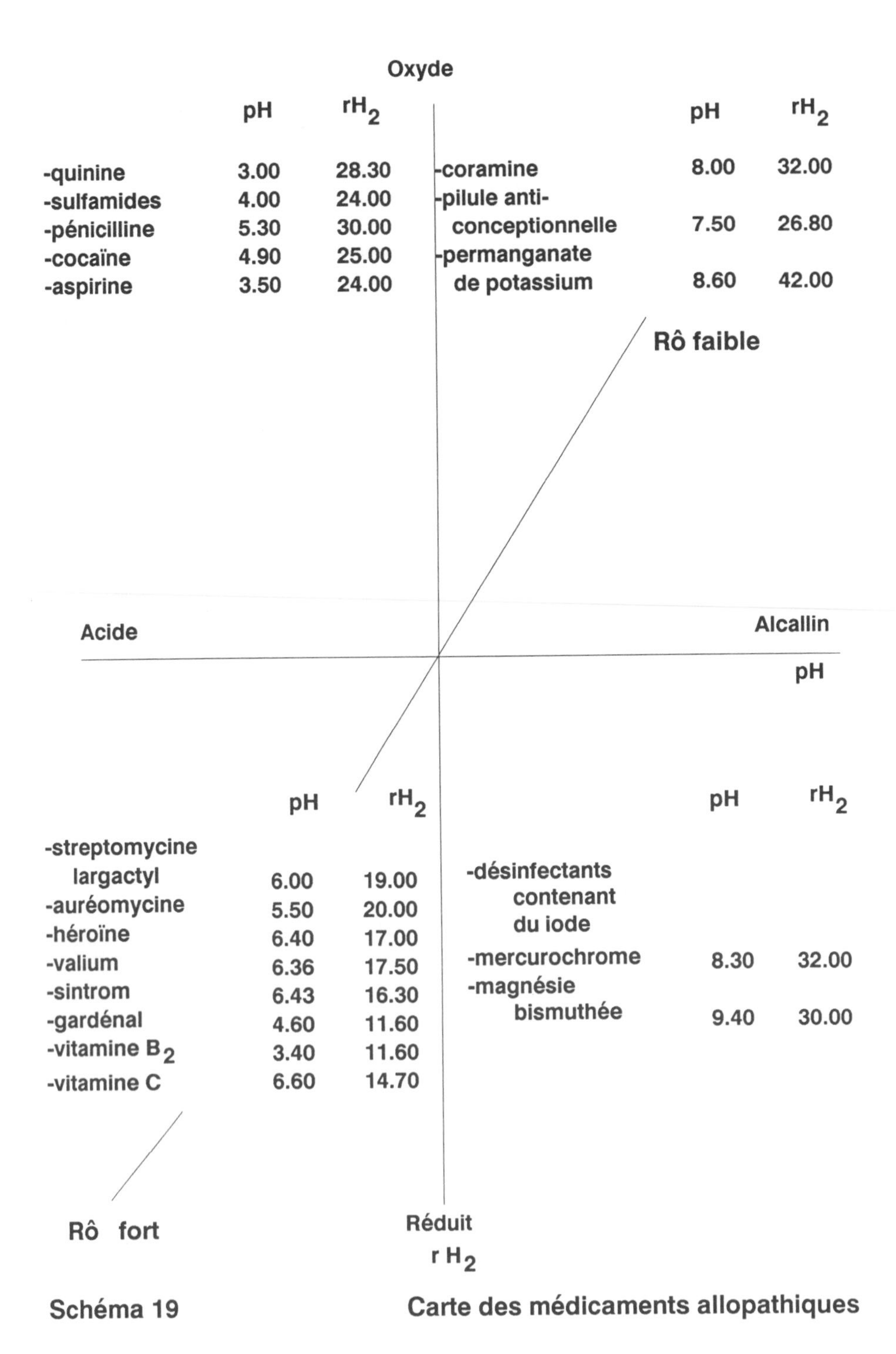

Schéma 19 Carte des médicaments allopathiques

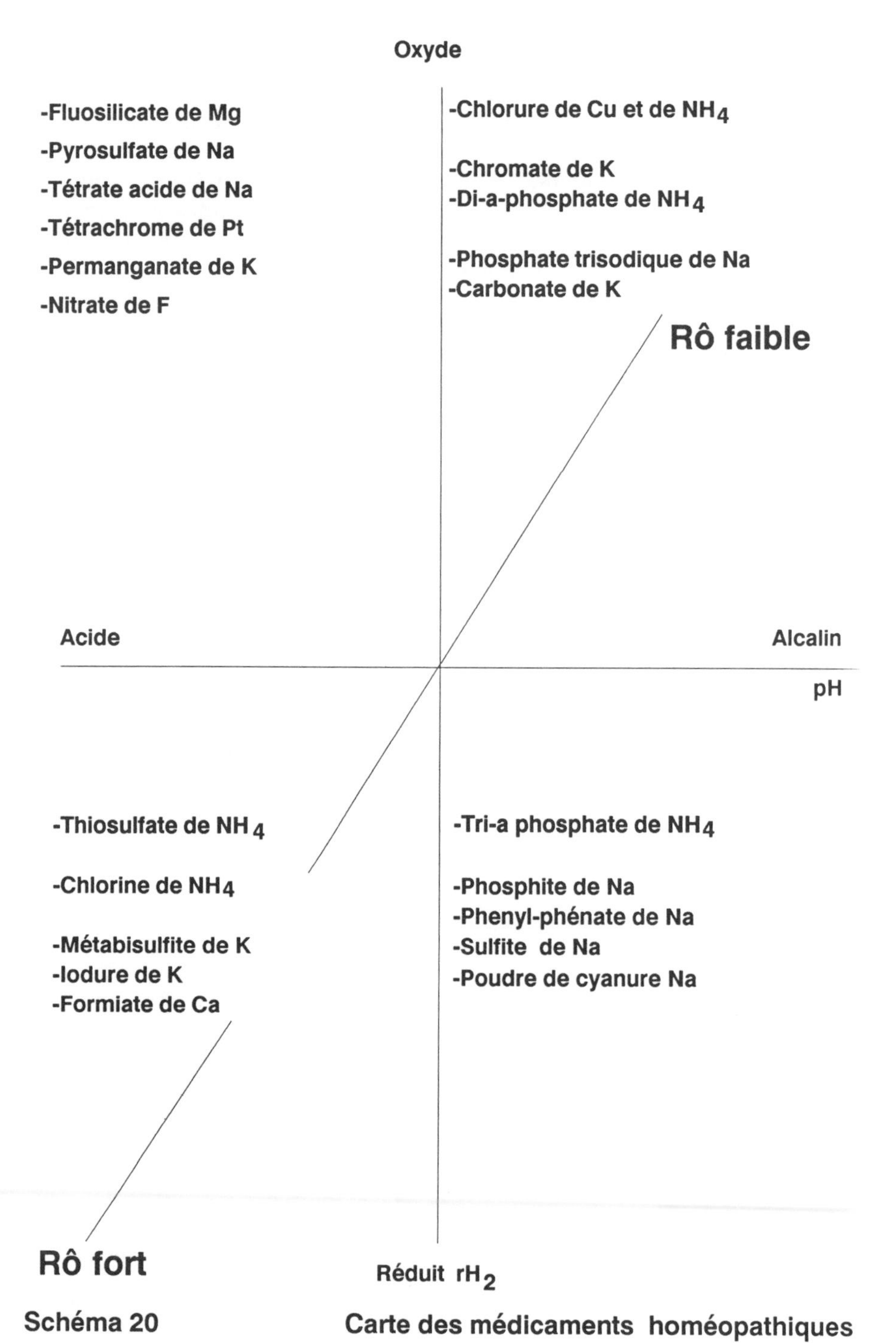

Schéma 20 Carte des médicaments homéopathiques

Selon Vincent les aliments qui rendent le milieu acide seraient anti-cancéreux. Ce sont : céréales, pain de seigle, pain complet, graines, riz complet, poulet de ferme, poisson, œufs frais, cacahouettes crues, lentilles, noix (sauf Brésil), fromages naturels. Les éléments qui rendent le milieu alcalin sont : carottes, tomates, céleri, laitue, pomme de terre, persil, concombre, betteraves, agrumes, dattes, pommes, noix du Brésil, noix de coco, raisin, melon, jus de fruits. Pour maintenir le sang acide, ce qui d'après Vincent préviendrait le cancer, il serait souhaitable de manger plus d'aliments qui assurent le milieu acide et de diminuer la quantité de ceux qui rendent le milieu alcalin.

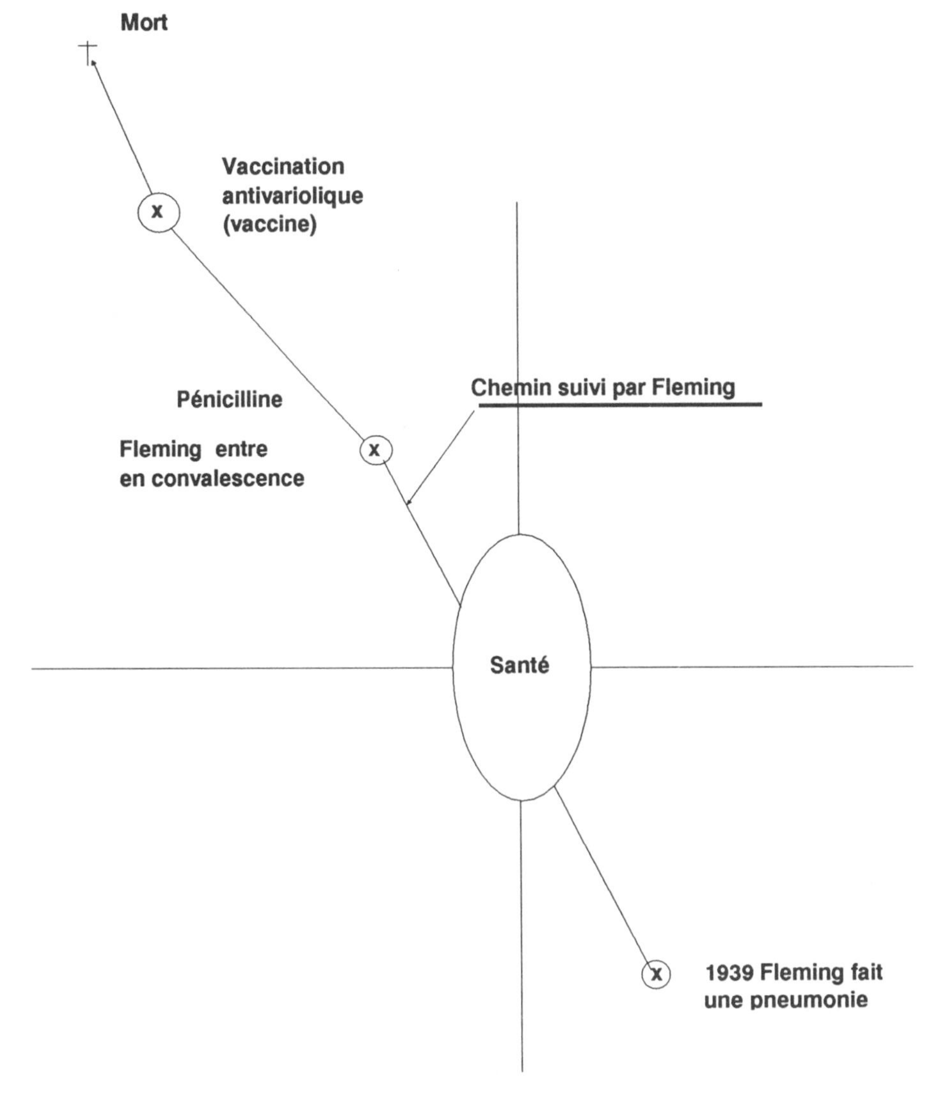

Schéma 21 La mort de Fleming expliquée d'après Vincent

Kinésiologie comportementale

Elaborée par deux médecins américains, les docteurs Diamond et Goodheart, cette méthode est fort intéressante.

Afin de savoir, si un aliment convient (un aliment peut être biodynamique pour l'un et biocide pour l'autre), il suffit de faire le test du bras de la manière suivante (il faut être deux personnes). Le sujet testé se tient debout, un bras tendu à l'horizontale. Le testeur demande de résister le plus possible lorsqu'il appuie sur le poignet avec l'intention de faire abaisser le bras. Chacun apprécie la résistance. Dans un second temps, le sujet testé prend dans l'autre main l'aliment à contrôler, qui peut être dans une boîte. Cela n'a pas d'importance, puisqu'on mesure l'énergie à l'état pur. On recommence le test. *Si le bras teste faible (il est plus facile à abaisser que la première fois) l'élément est nocif pour le sujet testé.* Avec le sucre raffiné le test est toujours faible ainsi qu'avec tous les alcools, cigarettes et aliments biocides. Cet exercice facile peut vous permettre de faire une sélection des aliments qui vous conviennent avec une étonnante précision. On peut tester les médicaments de la même manière. Si, avec la boîte de médicaments dans la main opposée à la main tendue, vous testez faible, le médicament n'est pas celui dont vous avez besoin. Si vous testez fort, c'est celui qu'il vous faut. Cette technique fait révolution aux USA. Quatre-vingt-dix pour cent des gens soumis à l'expérience testent faible avec la viande et les produits laitiers. Par ce contrôle on mesure la qualité énergétique d'un aliment, non sa condition chimique. Une substance élève ou abaisse l'énergie vitale selon sa qualité, non selon sa quantité. Que vous preniez une toute petite quantité d'un élément qui teste faible ou beaucoup, sur le plan énergétique c'est exactement identique. Par conséquent cessez de penser « un peu de sucre ne peut pas me faire de mal ». Que vous mangiez un carré de chocolat ou un kilo, le changement énergétique est exactement semblable.

AU NIVEAU DU CERCLE

Nous entrons dans l'alimentation considérée dans son essence, au-delà de sa composition chimique. Avant d'aller plus loin, je demanderai au lecteur d'examiner les schémas 22, 23 et 24, car nous allons dans le Tao, la voie de l'énergie.

Nous considérons l'énergie en fonction des saisons, ainsi que les rapports entre les divers aliments et systèmes du corps, pour enfin adapter notre alimentation à notre propre énergie du moment. Cela peut paraître assez compliqué mais j'essaierai d'être aussi clair que possible. Les schémas vont beaucoup vous aider.

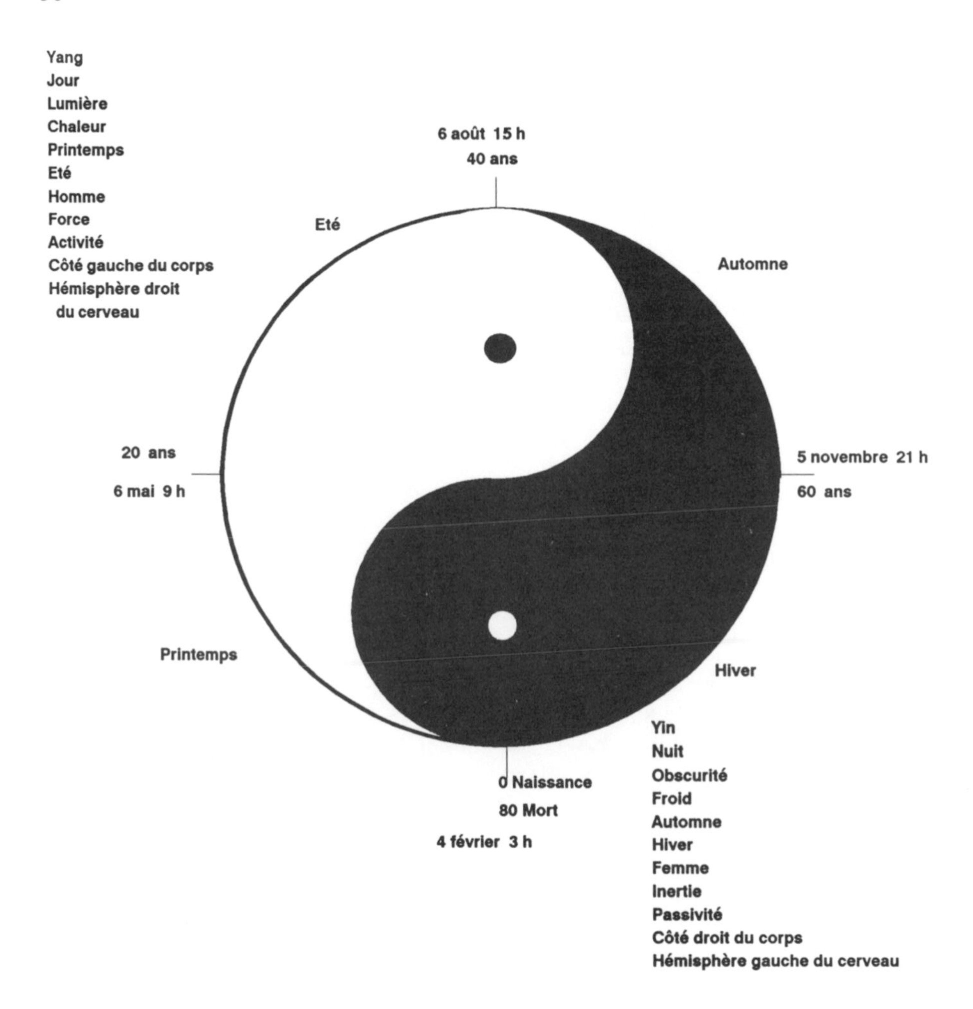

Schéma 22 **Le TAO**

L'énergie varie selon chaque saison. On dit qu'un élément est « dehors » ou « dedans » selon les phases de l'année. La symbolique au niveau du cercle se fait avec cinq éléments qui se succèdent dans leur dominance au fil des saisons : le bois au printemps, le feu en été, la terre qui est la référence, dans la saison intermédiaire, le métal en automne et l'eau en hiver (schéma 25). Les dates des débuts des saisons ne correspondent pas à notre calendrier. Il s'agit de saisons cosmiques, basées sur le calendrier chinois taoïste. Le début du printemps commence au nouvel an chinois, la fête du Thet et varie chaque année en fonction de la lune. En moyenne, le début du printemps est le 4 février à 3 heures du matin. Chaque saison a sa couleur symbolique et son élément. Les règles du Tao sont que l'élément

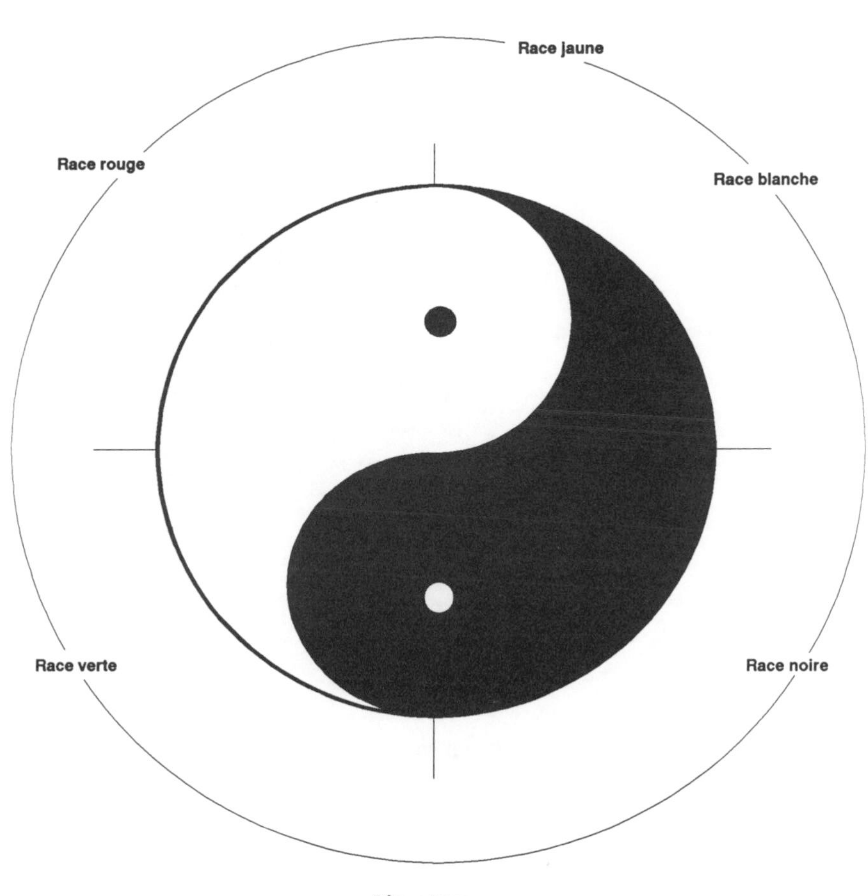

Schéma 23 **Evolution des races selon le TAO**

« mère » nourrit le « fils » mais détruit le « petit fils » soit : le bois crée le feu, qui crée la terre, qui crée le métal, qui crée l'eau, qui crée le bois. Le bois détruit la terre, le feu détruit le métal, la terre détruit l'eau, le métal détruit le bois et l'eau détruit le feu (schéma 26).

A chaque élément correspondent des organes, tissus, sens, un état psychologique, un sentiment et sur le plan alimentaire une saveur, une graine, une viande sauvage, une viande domestique. Il y a aussi une correspondance de couleur, de changement atmosphérique de points cardinaux et de saisons. Le schéma 27 va servir de base à une conception révolutionnaire de l'alimentation adaptée à votre état de santé, simplement en vous observant, puis de manière plus complexe et plus fine, en apprenant à mesurer vos

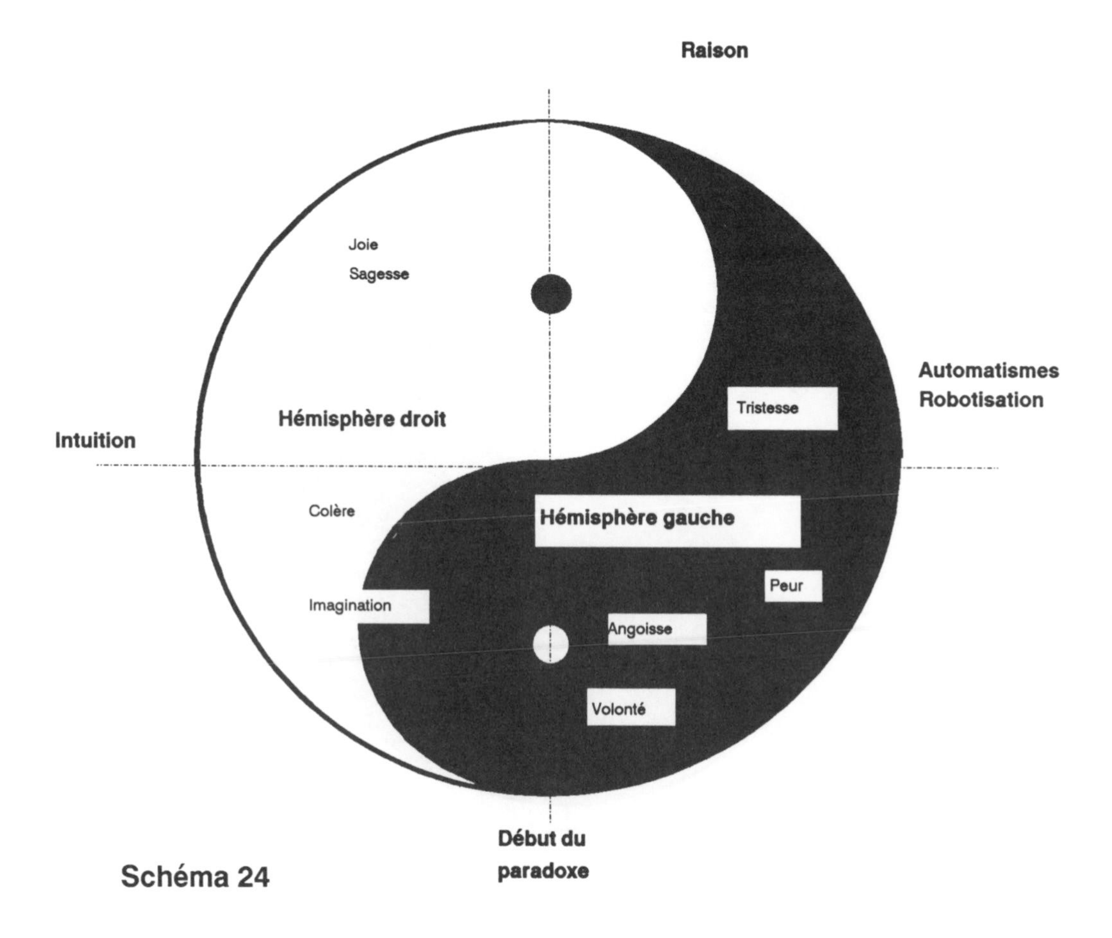

Schéma 24

énergies au niveau de votre pouls. Pour cette dernière opération il faut être deux et s'entraîner avant de décider de son régime. Les dérèglements de l'énergie de la médecine classique correspondent à des dérèglements d'un élément du Tao :

Les *hyperfonctions* (ça fonctionne trop), proviennent de dérèglements au niveau du bois (douleurs diverses).

Les *surfonctions* (ça fonctionne beaucoup trop) proviennent de dérèglements au niveau du feu (migraine, crise cardiaque, dépression, hypertension, etc.).

Les *dysfonctions* (ça marche irrégulièrement) proviennent d'un dérèglement de la terre (dystonie neurovégétative *, dysménorrhée * etc.).

Les *hypofonctions* (ça marche insuffisamment) proviennent d'un dérèglement du métal (constipation chronique, fatigue, etc.).

Les *afonctions* (ça ne marche plus du tout) proviennent d'un dérèglement de l'eau (aménorrhée *, anurie *, anémie etc.).

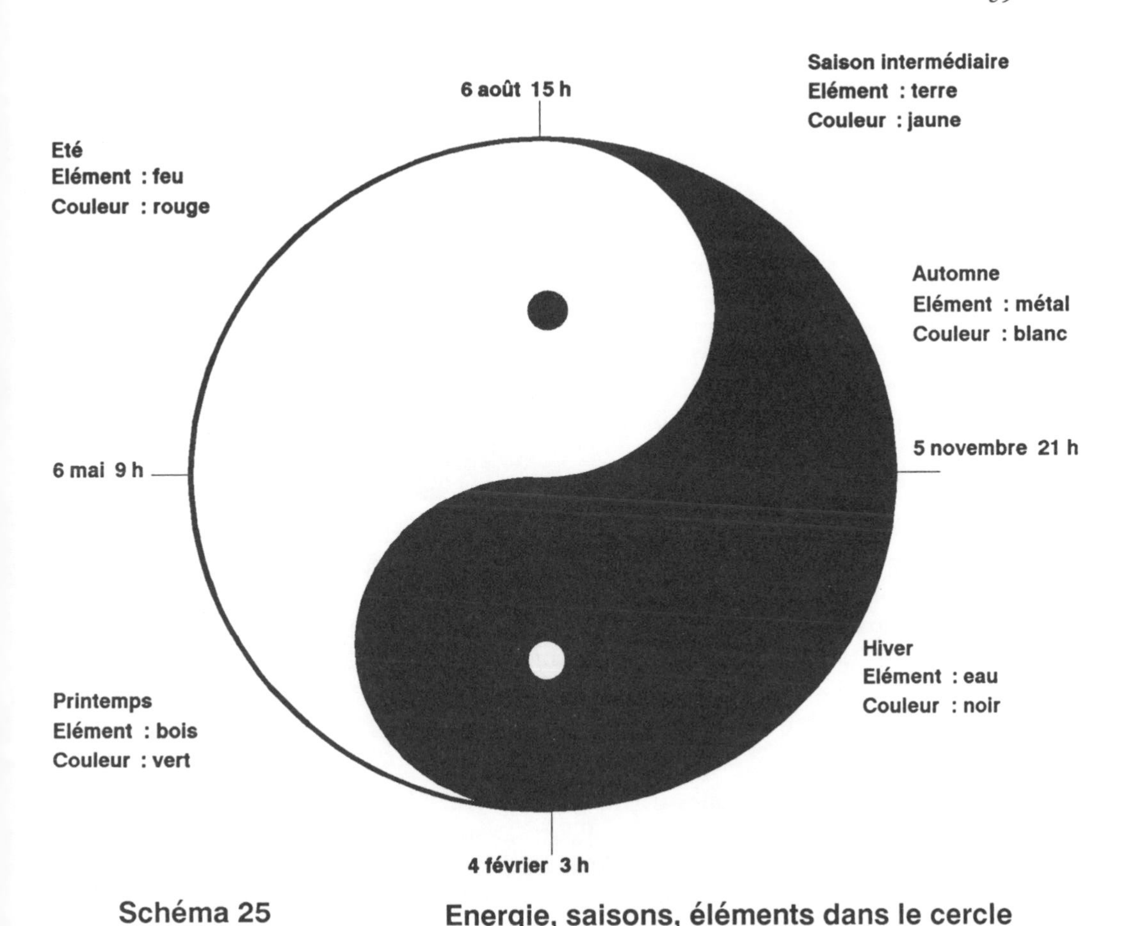

Schéma 25 **Energie, saisons, éléments dans le cercle**

Une règle d'or : **Il faut arrêter de manger ce qui se trouve dans la colonne de l'élément perturbé. S'il fonctionne trop, il faut chercher à épuiser son énergie en mangeant du « fils » et de la « grand-mère », arrêter de manger de la « mère ». S'il ne fonctionne pas assez il faut manger de la « mère » et arrêter de manger du « fils ».** Cette règle est fondamentale il faut la connaître par cœur et surtout la comprendre. Cela peut paraître complexe mais dans le fond c'est assez simple. Nous allons prendre toute une série d'exemples. Essayez de suivre en vous référant aux schémas 26 et 27, voir pages en couleurs.

1. Céphalées, troubles cardiaques, hypertension, spasmes intestinaux, dépression : tous ces symptômes correspondent à trop de feu. Il faut donc supprimer dans notre alimentation tout ce qui se trouve dans cette colonne et être attentif à ce que la chaleur, la couleur rouge et les déplacements vers le Sud nous sont nocifs. De plus il faut supprimer la « mère » du feu, le bois, puisqu'il nourrit le feu. Par contre il faut augmenter dans l'alimentation

l'élément terre, « fils » qui épuise le feu, ainsi que l'eau, la « grand-mère » qui tue le feu. On pourra ainsi établir notre formule personnelle : B̸ F̸ Ⓣ M Ⓔ. On maintiendra cette alimentation jusqu'à cessation du symptôme ; normalement un tel régime doit être suivi pendant vingt et un jours.

2. Douleurs, hépatite, trop de bile, contractures musculaires. Cela détermine un excédent de bois. Il faut donc supprimer le bois ; il est nécessaire de supprimer l'eau qui alimente le bois. Il faut augmenter son alimentation en feu qui épuise le bois ainsi qu'en métal « grand-mère » qui le détruit. La formule sera alors : B̸ Ⓕ T Ⓜ E̸. On a aussi éliminé l'eau puisque l'eau nourrit le bois qui est déjà trop développé. En plus il faut éviter le vent, la couleur verte et les voyages vers l'Est ; les couleurs rouge et blanche sont favorables.

3. Constipation chronique, règles trop faibles, asthme. Cela correspond à un manque de métal (hypofonction). On supprime donc la colonne métal et pour le stimuler on mange de la « mère », de la terre. On supprime l'eau qui épuise le métal, déjà trop faible. On diminuera aussi le feu qui épuise le métal, « grand-mère ». La formule sera : B F̸ Ⓣ M̸ E̸. En plus il faut éviter la sécheresse, le froid et les voyages vers le Nord ainsi que la couleur noire ; le jaune est favorable.

4. Impuissance sexuelle, frigidité, aménorrhée * : cela correspond à un manque d'eau. On la supprime. Pour la stimuler, il est nécessaire de consommer beaucoup de métal. Pour ne pas l'épuiser, le bois et la terre doivent être évités. La formule est la suivante : B̸ F T̸ Ⓜ E̸.

La couleur blanche, métal, est favorable.

5. Votre glande thyroïde fonctionne trop, vous maigrissez. Cela correspond à un trouble de la terre trop active. Il faut donc la supprimer de votre alimentation. Pour l'épuiser, il faut consommer beaucoup de métal « fils » et de bois « grand-mère », éviter le feu qui la nourrit. La formule sera : Ⓑ F̸ T̸ Ⓜ E. Associé à cela, il est bon d'éviter la couleur jaune et l'humidité.

Les couleurs verte et blanche sont favorables.

On pourrait prendre des centaines d'exemples. Une fois que vous avez compris le système, vous pouvez établir votre propre régime en fonction de vos symptômes.

Il est par exemple aberrant de boire du café ou du thé citron pendant une dépression. Le café, feu, stimule la dépression, le thé aussi. Le citron, bois, stimule le feu et augmente encore davantage l'état dépressif. Par habitude le raisonnement devient relativement aisé.

La mesure de votre énergie par le pouls et son utilisation

Chaque élément a un pouls particulier sur l'artère radiale au niveau du poignet. Le pouls de la terre sert de référence. On compare l'intensité du pouls terre avec les autres éléments et marque le résultat sur un diagramme. Après avoir pris les cinq pouls on obtient notre diagramme personnel. Le pouls doit être pris à jeun le matin. Il faut éviter de le prendre sept jours avant et sept jours après le changement de saison (voir dates sur schéma 22) ni pendant les règles chez la femme.

Technique : Asseyez-vous face à face. Le sujet testé pose les mains sur un coussin, paumes tournées vers le haut. Le testeur prend les pouls de la manière suivante. Il comprime l'artère radiale au point terre (avant-bras droit au niveau de l'apophyse styloïde *) Photos 5 et suivantes. Avec l'index gauche et en même temps avec l'index droit, il comprime le pouls du feu sur l'avant-bras gauche près du pli du poignet. Il presse jusqu'à ce qu'il ne sente plus le pouls et compare. Le pouls qui s'arrête en dernier est le dominant. Il le note sur le diagramme. La terre référence est toujours au même endroit sur le cercle. Si le feu est en dedans donc plus faible, on le note avec un point à l'intérieur du cercle sur la ligne du feu et s'il est en dehors avec un point à l'extérieur sur la ligne du feu. Il recommence la même opération avec le bois et l'eau droite. Ensuite avec un seul index

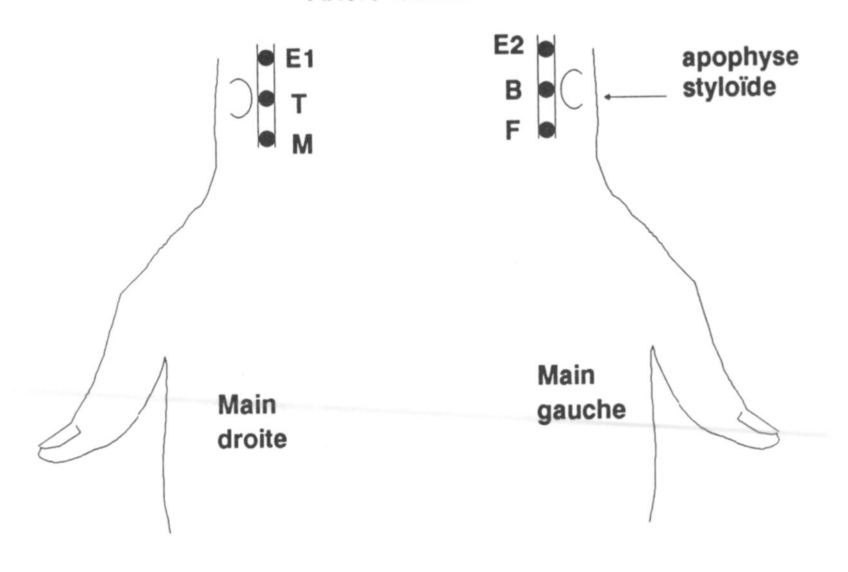

Schéma 28 **Position des pouls aux poignets**

il tâte le pouls au poignet gauche, près du pli, c'est le point du métal, puis celui de la terre et compare. Il note son résultat sur le diagramme. Ensuite il prend le pouls de la terre et de l'eau gauche et compare. Il tient ainsi une mesure pour l'eau gauche et l'autre pour l'eau droite qu'il a reportées sur le diagramme sous forme de deux points. Il prend la moyenne ; si par exemple l'eau droite est en dehors et l'eau gauche en dedans, cela veut dire que l'eau est juste sur le cercle. Si les deux eaux sont en dedans, l'eau est en dedans, si les deux eaux sont en dehors, l'eau est en dehors. Un schéma sera plus utile que l'explication. Le schéma 28 montre les points pour les pouls, le 29 un exemple, le 30 l'état normal à chaque saison. C'est le schéma de référence. Le résultat obtenu est comparé avec la norme de la saison. Par exemple le 1er septembre est en automne. On compare donc le résultat avec la norme d'automne. Dans l'exemple on trouve que tout correspond sauf le métal qui est insuffisant en énergie. Il est « dedans » alors qu'il devrait être « dehors ». La réflexion pour le régime alimentaire est la suivante : *il faut supprimer l'élément perturbé,* donc ne pas manger ce qui est dans la colonne métal. Comme il est trop faible, il faut manger beaucoup de l'élément terre « mère » pour le stimuler. Il faut éliminer l'élément eau qui l'épuise. La formule sera alors : $B\ \not{F}\ \underset{+}{\textcircled{T}}\ \not{M}\ \not{E}$; il faut aussi diminuer le feu car il détruit le métal.

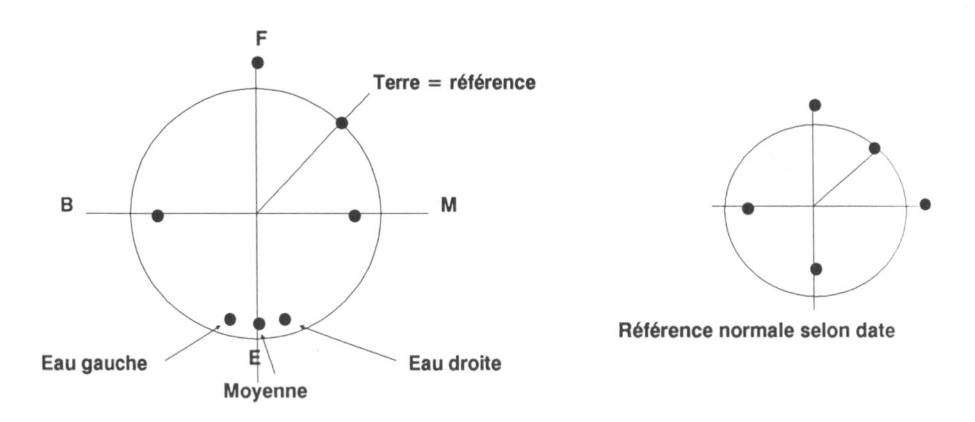

Schéma 29 **Exemple : Pouls pris le premier septembre**

Si le résultat des pouls correspond au schéma de la saison, il n'y a rien à faire. Si l'on comprend le raisonnement, la démarche est relativement facile.

Dans l'exemple ci-dessus où le métal est déréglé, soit vous avez déjà un problème pulmonaire, cutané, nasal ou intestinal (côlon), soit si vous n'avez aucun symptôme apparent, il va de déclencher bientôt. *En effet, le dérèglement énergétique se fait plusieurs semaines avant l'apparition du symptôme.*

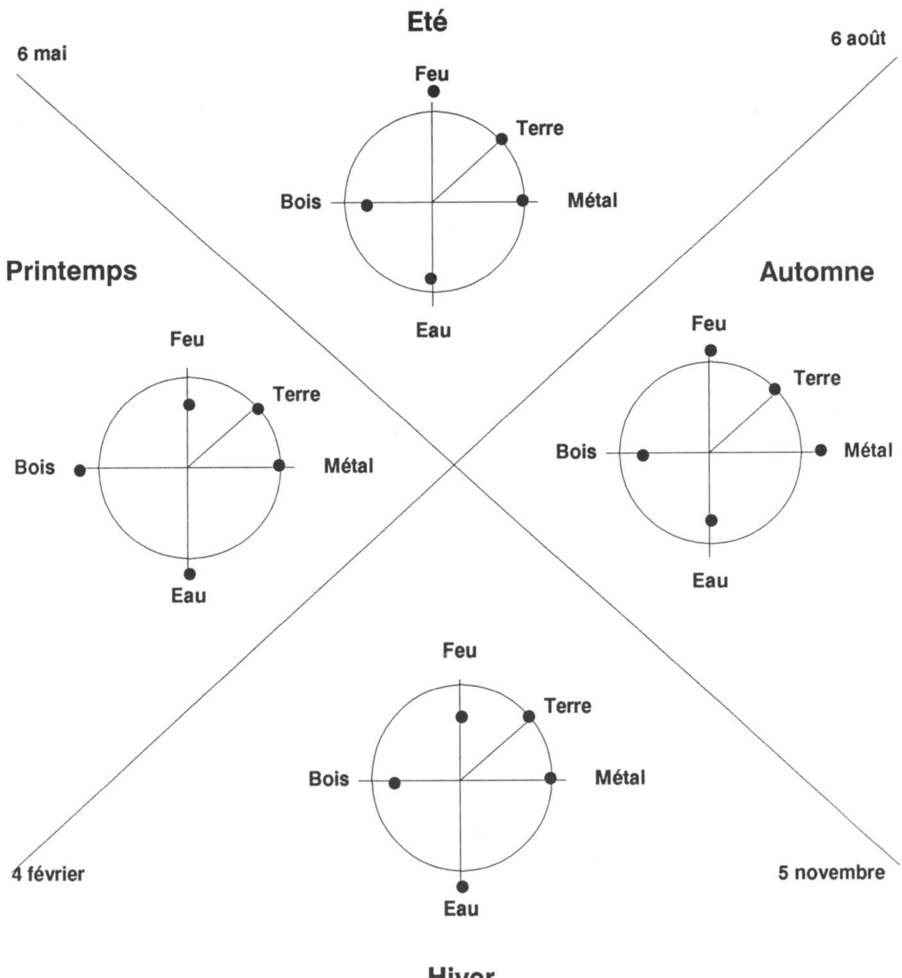
Eté
6 mai
6 août
Feu
Terre
Bois
Métal
Eau
Printemps
Automne
Feu
Terre
Bois
Métal
Eau
Feu
Terre
Bois
Métal
Eau
Feu
Terre
Bois
Métal
4 février
5 novembre
Eau
Hiver

Schéma 30

En adaptant votre régime en fonction de l'énergie, vous faites une *fantastique prophylaxie.* C'est ce que faisaient les médecins chinois à l'époque des mandarins. Ils détectaient d'avance les futures maladies et les empêchaient de se déclarer en utilisant le régime adapté et l'acupuncture.

Pour plus de clarté prenons un second exemple de pouls pris toujours le premier septembre (schéma 31).

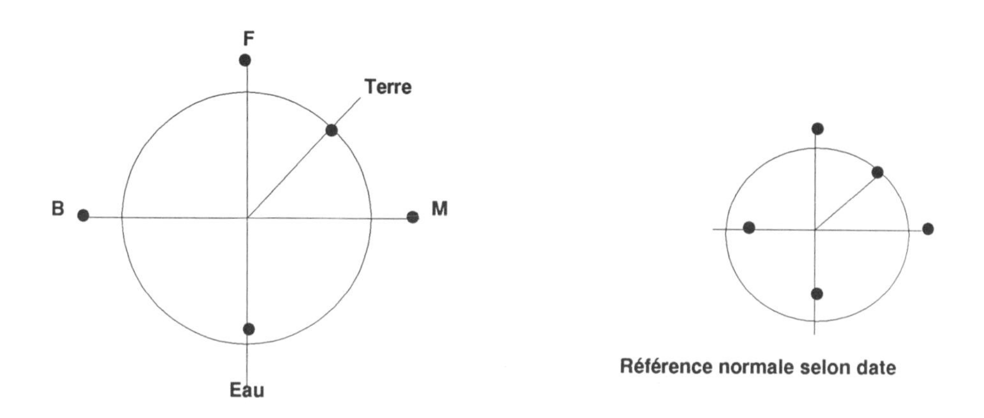

Schéma 31 **Exemple 2 : Pouls pris le premier septembre**

Le bois est déréglé, il est en excès. Il se prépare ou il y a déjà un symptôme soit hépatique, biliaire, de la vue ou de la musculature striée. Il faut donc supprimer la colonne bois et aussi la colonne eau, car l'eau nourrit le bois. Par contre, il faut consommer beaucoup de feu (il épuise le bois) et beaucoup de métal (il détruit le bois). La formule sera alors : ~~B~~ Ⓕ+ T Ⓜ+ ~~E~~. Avant d'utiliser la méthode des pouls, je vous conseille de vous entraîner avec votre conjoint ou autre partenaire plusieurs jours jusqu'à ce que vous soyez sûr de bien sentir la différence entre la terre et les autres pouls. C'est une question d'habitude et d'appréciation de la pression exercée avec l'index. On serre l'artère radiale contre l'os jusqu'à ce que le pouls s'arrête, comme nous l'avons déjà expliqué. On compare la pression nécessaire pour arrêter la terre et les autres éléments.

Le régime établi doit être rigoureusement suivi pendant 21 jours

Après cette période on reprend les pouls et contrôle si l'équilibre est rétabli ou modifié. Selon le résultat, on agit en conséquence. Avant de terminer cet important exposé sur l'alimentation au niveau énergétique, j'aimerais vous montrer le diagramme de déséquilibre typique chez les cancéreux ou lors d'une dystonie * neurovégétative (schéma 32). Tous les pouls sont faibles par rapport à la terre. Ce déséquilibre, comme tous les autres, se fait plusieurs semaines, voire plusieurs mois avant l'apparition du symptôme. Un régime approprié qui varie selon la saison, peut rétablir l'équilibre. L'aide d'un spécialiste peut être très utile. Si le dérèglement est trop important, l'acupuncture complète le régime alimentaire pour rétablir cet équilibre.

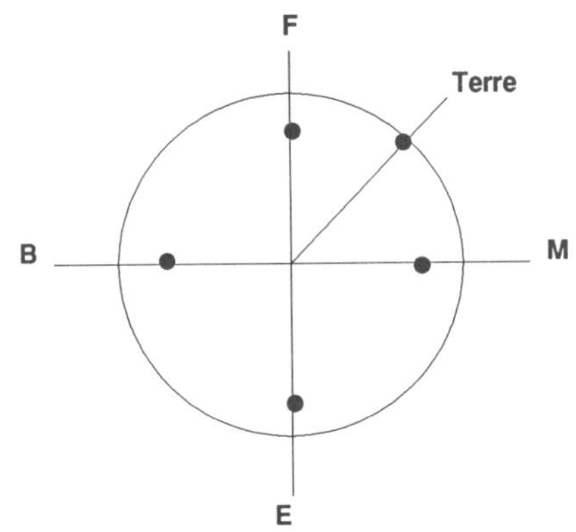

Schéma 32 **Pouls chez un cancéreux ou lors d'une dystonie neurovégétative**

Chaque élément a son point énergétique réflexe unique. En cas de manque il faut le stimuler, soit en cautérisant le point avec un moxa * soit en piquant une aiguille, la faisant tourner et l'enlevant immédiatement (effet * anatropique). En cas d'excès, on met une aiguille et la laisse en place pendant vingt minutes (effet catatropique *). Pour renforcer l'effet de l'acupuncture on établit le régime correspondant pour vingt et un jours. Pour votre information les points des éléments sont les suivants :

Bois H1 Coin de l'ongle du gros orteil côté du second.

Feu C8 Ligne du cœur dans la main entre le 4e et le 5e doigt.

Terre L3 Bord interne du pied en arrière de l'articulation du gros orteil à la limite des peaux dorsale et plantaire.

Métal R8 Face interne de l'avant-bras en dehors de l'artère radiale à un pouce * au-dessus du pli du poignet.

Eau S10 Face interne du genou entre les tendons du demi-tendineux et du droit interne sur l'interligne articulaire.

Aucun régime ne peut être appliqué à tout le monde. Autant de régimes que de personnes. Tous les livres écrits sur le sujet ne traitent que du carré, du matériel. Souvenez-vous des grands principes et essayez de vous en rapprochez. Ne soyez pas obsédé par une ligne de conduite stricte ; le bigotisme et le sectarisme ne sont pas une preuve d'intelligence, bien au contraire. Mâchez beaucoup, respirez en mangeant, pensez à ce que vous mangez. Pensez aux quatre éléments au niveau de la croix et aux cinq au niveau du cercle. Testez votre alimentation au moyen du contrôle du bras, ainsi vous serez sûr de ne pas vous tromper. Maintenant c'est à vous de jouer. Bon courage !

CONCLUSION

Le contenu de ce livre vous a probablement surpris. L'adaptation alimentaire personnalisée me paraît essentielle. Un aliment peut être bon à un moment donné et mauvais à un autre, de même, qu'un aliment peut convenir à une personne et être franchement toxique pour une autre. Çela dépend de l'équilibre énergétique du moment. Seuls les aliments biogéniques et biostimulants conviennent à tous.

Il faut éviter de composer des menus standardisés. La consommation des aliments biocides, qui détruisent la vie, en particulier les conserves, les sucres raffinés et les produits en contenant, les solft-drinks *, les huiles non pressées à froid, la plupart des produits lactés, etc. devrait être supprimée ou fortement réduite.

Il faut changer progressivement les habitudes, acquérir une nouvelle philosophie alimentaire. N'élevez pas de barrières rigides vous privant du jour au lendemain de vos plats préférés, laissez-vous guider par votre bon sens. Soignez vos repas quotidiens, ce qui vous permet de temps à autre, si vous en avez vraiment envie, de vous offrir un aliment « défendu » sans vous culpabiliser.

Méfiez-vous des articles que vous trouvez dans bien des magazines, proposant des régimes miracles, notamment pour maigrir. Ce régime n'existe pas. Le meilleur moyen de maigrir, sans souffrir de privations, me semble être le régime dissocié. Il est bon, de temps à autre, de faire entre un jour et une semaine de jeûne intégral, en buvant beaucoup d'eau (au moins trois litres par jour). Cette eau ne doit pas être trop alcaline. Je vous conseille l'eau de Volvic ou celle du Mont Roucous, qui toutes deux ont un potentiel acide * en dessous de 6,8. Lorsque vous cessez le jeûne, qui a une puissante action désintoxicante du corps, il faut reprendre l'alimentation solide très progressivement, en commençant par manger des produits biogéniques et biostimulants.

Je vous conseille également de faire, tous les trois mois, un nettoyage intestinal complet, au moyen du Varisara-Kryia, technique d'origine indienne de purification par l'eau et le jeûne, que j'ai quelque peu modifiée pour en faciliter l'emploi. **Ne le pratiquez pas si vous faites de l'hypertension artérielle, si vous avez un ulcère gastrique ou une colite ulcéreuse.**

Pour en tirer le meilleur profit, il faut disposer d'un jour de liberté, sans aucune obligation. Après le nettoyage, offrez-vous de la détente, de la lecture, écoutez de la musique, appréciez cet état rare de pureté corporelle accompagnée de bien-être. La manière de procéder décrite ci-après doit être rigoureusement suivie.

— Le soir précédant le nettoyage, pas d'aliments solides ; boire uniquement des jus de fruits frais et des tisanes sans sucre.

Faire cuire environ 6 litres d'eau avec du poireau. Laisser bouillir environ 20 minutes sans sel. Laisser refroidir et filtrer, ôter le poireau et conserver le liquide.

— La matin du nettoyage : ne pas prendre de petit-déjeuner. Mesurer avec précision la quantité de liquide et ajouter exactement 10 grammes de sel (marin ou de cuisine) par litre. Remuer.

— Prévoir un grand verre de 3 décilitres.
— Boire lentement 3 verres de bouillon.
— Pratiquer les exercices suivants :
  Mouvements axiaux du tronc debout.
  Mouvements latéraux du tronc debout. Mettre un bras au-dessus de la tête et l'autre plié dans le dos, se pencher le plus bas possible sur le côté. Inverser la position des bras et se pencher de l'autre côté, plusieurs fois de suite.
  A plat ventre sur le sol, soulever le haut du corps sur les bras, torsion du corps, regarder le pied opposé au côté soulevé, à gauche, puis à droite, plusieurs fois de suite.
— Boire un quatrième verre.
— Refaire les exercices.
— Boire un cinquième verre.
— Refaire les exercices.
— Boire un sixième verre.
— Refaire les exercices.

Très souvent, l'enclenchement de l'élimination se fait déjà après le troisième ou quatrième verre. Les exercices ont pour but d'ouvrir le pylore * et permettre le passage du liquide dans l'intestin. La première selle est normale. La seconde est généralement liquide et malodorante. Cela provient du fait que des déchets putrides anciens, logés dans les villosités * intestinales s'éliminent, ce qui assure une excellente désintoxication.

Après le sixième verre,
l'élimination doit absolument commencer

Si ce n'est pas le cas, fait extrêmement rare, il faut essayer d'enclencher le syphon * en introduisant un suppositoire de glycérine (bulboïd par exemple) ou en faisant un petit lavement (microclist par exemple). Par mesure de sécurité, il faut avoir ces produits à votre disposition lorsque vous commencez le nettoyage.

Si malgré tout le liquide ne passe pas, non seulement il faut arrêter de boire, il faut se faire vomir (en plaçant simplement vos doigts sur la base de la langue). C'est nécessaire pour éliminer l'eau salée de votre estomac, sinon, elle passera dans le sang et dans l'urine, ce qui n'est pas dangereux, mais peut produire des maux de tête désagréables. En vomissant, vous faites un nettoyage de l'estomac. Cependant, presque toujours, le syphon * s'enclenche et dès cet instant, tout devient facile.

— Prendre un septième verre, faire les exercices et éliminer. Continuer ainsi : un verre — exercices — élimination ; jusqu'à ce que vos selles soient absolument liquides et aussi propres que le bouillon que vous buvez.

— Arrêter de boire et se reposer environ une demi-heure.

Il faut manger au plus tard une heure après avoir terminé le nettoyage

C'est impératif, pour ne pas perdre la flore intestinale.

L'alimentation suivante doit être absolument respectée :

Manger du riz blanc très cuit avec de la margarine végétale biologique. (prévoir 50 grammes de margarine). Après le riz sans sel, manger des carottes cuites à l'eau et des lentilles. Les carottes apportent la vitamine A nécessaire aux muqueuses et les lentilles fournissent les protéines et minéraux indispensables. Il faut boire beaucoup pour compenser la perte de liquide. Les seules boissons autorisées sont l'eau et les tisanes sans sucre.

Au repas du soir le menu est semblable, mais on peut ajouter du fromage de gruyère, des spaghettis, de la sauce tomate faite avec des tomates fraîches pelées.

Parfois, vous pouvez ressentir un peu de fatigue après ce nettoyage, de légères céphalées peuvent se produire, mais elles disparaissent rapidement sans traitement. Il est conseillé de faire une bonne sieste après le premier repas.

Le lendemain, la vie normale reprend son cours dès le petit-déjeuner.

Je souhaite que ce livre vous soit utile et qu'il vous permette de mieux gérer votre capital santé par votre alimentation. Souvenez-vous, nous sommes ce que nous mangeons.

GLOSSAIRE

Aménorrhée : Absence de règles. L'origine est multiple, entre autres, l'excédent de stress peut arrêter les sécrétions hormonales chez les femmes particulièrement émotives.

Anurie : Absence d'urine.

Bataillon de Joinville : Ecole militaire française où sont formés de jeunes officiers.

Boulimie : Maladie mentale. La personne atteinte a besoin de manger des quantités énormes de nourriture. Elle se fait ensuite vomir. Bien des boulimiques sont maigres. Souvent la boulimie se transforme en anorexie mentale et inversement. L'anorexie porte le malade à un refus de toute nourriture suivi d'amaigrissement extrême, nécessitant souvent une hospitalisation. Les causes de ces maladies sont mal connues ainsi que leur traitement. Parfois, un problème majeur de relation avec la mère et un manque d'amour dans l'enfance les provoquent, mais il ne faut pas généraliser.

Cachexie : Amaigrissement extrême.

Chakra : Centres d'énergie cosmique décrits dans la tradition indienne. Il y a sept chakras répartis le long de la colonne vertébrale, au niveau du front et au-dessus de la tête (coronal). Chaque centre à ses nom, fonctions, son, couleur et résonance magnétique. Le but du yoga est d'éveiller ces chakras, du bas en haut pour atteindre la spiritualité.

Colite : Inflammation du gros intestin (côlon).

Collège International de Sophrologie Médicale : Société médicale composée de plusieurs sections nationales. Responsable de la formation des sophrologues médicaux et paramédicaux. Son siège central est à Lausanne.

Cure de citron : Cure amaigrissante et désintoxicante. L'unique nourriture est de l'eau à laquelle on ajoute du jus de citron, du sirop d'érable et du poivre de Cayenne.

Cure de raisin : La cure consiste en une alimentation unique de raisin pendant une dizaine de jours. Il faut boire beaucoup d'eau entre les prises de raisin.

Dysménorrhée : Règles douloureuses.

Dystonie neuro-végétative : Dérèglement fonctionnel du système nerveux autonome (neuro-végétatif).

Effet anatropique : Effet d'une aiguille d'acupuncture ou d'un moxa * qui apporte de l'énergie manquante dans un méridien chinois. Pour l'obtenir, l'aiguille est piquée d'une certaine manière et retirée immédiatement.

Effet catatropique : Effet d'une aiguille d'acupuncture qui enlève de l'énergie en excès. Dans ce cas l'aiguille est laissée en place pendant au moins vingt minutes.

Enregistrement polygraphique : Enregistrement électronique de plusieurs facteurs simultanément (pouls, cœur, tension sanguine, respiration, etc.).

Epiphyse : Glande à sécrétion interne (endocrine) appelée aussi glande pinéale. Elle se situe sous le cerveau et correspond en Orient au troisième œil, lieu du chakra * frontal. Il semble que sa fonction, grâce à son hormone la mélatonine, soit de régulariser les autres glandes à sécrétion interne. Ce n'est que très récemment que l'importance de cette glande a été découverte.

Etat sophronique : Etat modifié de la conscience obtenu par des techniques de la sophrologie *. La conscience, selon Caycedo, peut avoir trois états, le pathologique, l'ordinaire et le sophronique.

Fédération Mondiale de Sophrologie : Organe directeur de la sophrologie mondiale, dont le siège est à Bogota. Cette société est présidée par le Professeur Alfonso Caycedo, fondateur de la sophrologie.

Feed-back : Terme anglais de cybernétique, se traduisant par le mot rétroaction.

Gaine de myéline : Gaine protéinique entourant les fibres nerveuses et assurant le passage de l'influx. Certaines maladies, comme la sclérose en plaques détruisent cette gaine.

Holophonique : Son en trois dimensions dans l'espace. Son en relief.

Hypophyse : Glande à sécrétion interne de la dimension d'un petit pois, suspendue dans le cerveau, sous l'hypothalamus * et jouant un rôle régulateur de nombreuses autres glandes endocrines. Elle influence la croissance et la lactation.

Hypothalamus : Centre nerveux se trouvant au milieu du cerveau, dans le diencéphale et jouant un rôle prépondérant dans les émotions, la mémoire, les angoisses ainsi que dans la régulation des glandes à sécrétion interne (hypophyse, surrénales, thyroïde, pancréas, etc.).

Iatrogéniquement : De *iatros*, médecin. Provoqué par la médecine.

Infarctus : Obturation d'un vaisseau sanguin provoquant la mort du tissu qu'il est sensé vasculariser. Lorsque ce phénomène se passe au niveau des artères coronaires du cœur, on parle d'infarctus du myocarde. La cause principale en est l'artériosclérose.

Institut Jung : Institut créé par le célèbre psychiatre suisse Carl-Gustav Jung. D'abord à la Gemeinde Strasse à Zurich, il a été transféré à Kussnacht, où le docteur Jung avait son cabinet médical. Dans cet institut sont formés des analystes du monde entier.

Jivaros : Tribu d'Indiens d'Amazonie, vivant entre le Pérou et l'Equateur. Ils sont connus sous le nom de « réducteurs de têtes ».

Kinésiologie : Méthode américaine décrite dans ce livre. La racine grecque signifie étude du mouvement. On retrouve la même racine dans kinésithérapeute.

Maladies auto-immunes : Le système immunitaire * agit de manière anarchique en détruisant certaines cellules du corps, les reconnaissant comme étrangères. La sclérose en plaques l'arthrite, la maladie de Crown * en sont des exemples.

Maladie de Crown : Ulcérations hémorragiques de l'intestin dues à la destruction de la muqueuse, notre mécanisme de défense étant devenu anarchique.

Maladies fonctionnelles : Maladies les plus fréquentes de notre civilisation, dues à l'excès de stress. Au moins quatre-vingt-dix pour cent des maladies actuelles entrent dans cette catégorie. Ces maladies se classent en trois groupes :

a) Les névroses (phobies, asthénies, angoisses, dépressions).

b) Les maladies psychogéniques (migraines, céphalées, insomnies...).

c) Les maladies psychosomatiques (ulcères, allergies, troubles digestifs, etc. et probablement pour une bonne partie les cancers).

Toutes ces maladies peuvent être produites par une malnutrition. Tous les produits chimiques ingérés provoquent une réaction de stress.

Mandala : Symbole très important de la tradition hindoue nous mettant en rapport avec la profondeur de l'âme, le soi. Il est constitué de figures géométriques.

Médecine ésotérique : Médecine transmise uniquement à des initiés par un enseignement oral dont l'essence est empirique.

Médecine exotérique : Médecine conventionnelle à base scientifique transmise par des écrits.

Moxa : Traitement des points chinois par la chaleur, à l'aide de bâtons contenant de l'armoise, allumés comme une cigarette. Les points à stimuler (effet anatropique *) sont chauffés sans créer de brûlure.

Muscle deltoïde : Important muscle servant à lever le bras à l'horizontale. C'est ce muscle qui est le plus souvent testé en kinésiologie *.

Polyphosphates : Produits chimiques oxydés, largement utilisés dans l'industrie chimique alimentaire et comme engrais. Ils servent de conservateurs, stabilisateurs, etc. Ils font partie des additifs alimentaires de la série E. D'après de sérieuses recherches faites en Allemagne, ils seraient responsables du syndrome psycho-organique (SPO) chez les enfants et adolescents, dont le résultat se traduit par des micro-traumatismes cérébraux. Cela expliquerait l'agressivité excessive, la turbulence, l'impossibilité de se concentrer, l'agitation et stimulerait de manière importante l'attraction à la consommation de drogues et la tendance à la délinquance. On trouve ces polyphosphates en haute dose dans beaucoup de produits surgelés, surtout les poissons, les fromages fondus, toutes les charcuteries, les soupes prêtes à être consommées, les glaces industrielles, tous les soft-drinks * etc. Avant d'acheter un produit, assurez-vous qu'il ne contient pas d'additif de la série E, particulièrement les E 322, 338, 341 et, le pire de tous, le E 450. En les consommant, vous mangez un aliment hautement biocide.

Polysaccharides : Sucres complexes appelés sucres lents. On les trouve dans les fruits, certains légumes et le sirop d'érable par exemple. Ils sont importants pour l'organisme et ne produisent pas de dérèglement pancréatique alors que les sucres rapides ont un effet catastrophique sur le corps.

Potentiel acide (pH) : Degré d'alcalinité ou d'acidité d'une solution. le pH 7 est neutre. Entre 7 et 14 la solution est alcaline, entre 1 et 7 elle est acide.

Potentiel d'oxydo-réduction (rH_2) : Concentration en molécules d'oxygène dans une solution.

Pouce (chinois) : Mesure variable destinée à mesurer des proportions du corps et à repérer les points d'acupuncture. Par exemple la distance entre le pli du poignet et le pli du coude est de douze pouces. Selon la taille de la personne le pouce est plus ou moins grand.

Pylore : Muscle sphincter (comme un diaphragme d'appareil de photo) assurant la fermeture et l'ouverture de la sortie de l'estomac.

Réflexe conditionné : Réflexe absent à la naissance, appris par répétition. C'est Ivan Pavlov * qui a mis en évidence ces réflexes après avoir effectué de nombreuses expériences avec des chiens. L'odeur de la viande fait immédiatement sécréter davantage de salive. C'est un réflexe pur, existant déjà dans la structure génétique. Si de plus chaque fois que l'on fait sentir la viande on fait sonner une cloche en même temps, au bout d'un certain temps il suffit de faire tinter la cloche pour que le chien sécrète de la salive ; c'est un réflexe conditionné ; il n'est heureusement pas nécessaire de réfléchir pour freiner en cas d'urgence, cela nous a souvent sauvé la vie.

Relaxation dynamique : Techniques de relaxation d'origine orientale introduites en sophrologie * par le professeur Caycedo. Il y a quatre degrés de relaxation dynamique. Le premier est d'essence Rajayoguique, le second bouddhique, le troisième zen et le quatrième est une combinaison des trois premières. Ce sont d'excellentes techniques de développement personnel.

Résistivité électrique (Rô) : Plus une solution est riche en sels plus la résistivité diminue. Une eau comme la Volvic ou l'eau du Mont Roucous, très pauvres en sels, ont une forte résistivité, ce qui leur donne une excellente valeur alimentaire. La majorité des eaux est toxique par leur trop riche teneur en sels. Elles sont généralement trop alcalines. L'idéal pour une eau de table est d'être légèrement acide.

Soft-drinks : Boissons biocides de consommation courante. Leur teneur en sucre raffiné, en colorants et en produits chimiques les rend hautement toxiques pour notre organisme. Ces boissons contiennent presque toutes des polyphosphates et sont particulièrement appréciées par les jeunes. Elles sont une des sources des syndromes psycho-organiques *.

Sophrologie : Discipline médicale créée en 1960 par le professeur Alfonso Caycedo. Les définitions en sont les suivantes :
a) Etude des modifications des états de conscience, obtenues chez l'homme par des moyens psychologiques, physiques ou chimiques et de leurs applications thérapeutiques, prophylactiques et pédagogiques.
b) Etude des phénomènes qui permettent la transcendance de la conscience.
Il existe de nombreux spécialistes dans cette branche de la médecine moderne. Les moyens utilisés complètent harmonieusement les autres thérapies classiques. La sophrologie est aussi une médecine préventive des plus efficaces. L'objectif de la sophrologie prophylactique est d'ouvrir la voie vers un équilibre harmonieux entre le corps et l'esprit, de prévenir les maladies fonctionnelles, de renforcer les mécanismes naturels de défense. En Suisse, un vaste mouvement se développe de plus en plus, grâce au travail acharné de l'Association Suisse de Sophro-prophylaxie et de son président, Pierre Schwaar. Les statistiques ont montré qu'il est possible de diminuer par ces moyens le coût de la médecine de manière considérable et à peu de frais.

Syphon : Dans certaines conditions bien précises, décrites dans l'explication du varisara-kryia, on établit une colonne continue de liquide estomac-anus. Un effet de syphon se crée et après les premières selles, s'installe un circuit continu bouche-anus, qui permet le libre passage de l'eau.

Système immunitaire : Système de défense de l'organisme qui détruit dans le corps tout envahisseur étranger, tels les bactéries, microbes, virus, champignons et cellules cancéreuses. D'après des données récentes, le cerveau, le système immunitaire et les glandes endocrines font partie d'un seul et même système. Les fonctions de cet ensemble complexe sont affaiblies en cas de stress exagéré, ce qui ouvre la porte à n'importe quelle infection, ainsi qu'à la prolifération des cellules cancéreuses. L'écoute de la musique holophonique et des sons de la nature (chants d'oiseaux, chute d'eau, vagues etc.) semble avoir une action stimulante sur ce système. La pensée positive agit dans le même sens, alors que la pensée négative effondre le système.

Terpnos logos : Manière douce et monocorde de parler. Ce vocable est apparu à l'époque d'Homère au neuvième siècle avant Jésus-Christ. Les grecs utilisaient déjà la parole à des fins thérapeutiques. La sophrologie * utilise parfois le même processus.

Thymus : Glande à sécrétion interne, située sous le sternum au niveau du deuxième espace intercostal. Sa fonction première est d'assurer la croissance chez les enfants, sa seconde fonction, essentielle et souvent méconnue est d'assurer, la vie durant, la maturation des lymphocytes T4 indispensables au bon fonctionnement de notre défense immunitaire *. En cas de stress excessif, cette fonction du thymus s'effondre.

Valium : Médicament utilisé de manière abusive dans tous les pays occidentaux. Il est prescrit dans la lutte contre les états d'humeur dépressive. Curieusement, son effet secondaire principal est de créer la dépression ! Le valium engendre une dépendance psychique et physique, comme les drogues dures. Il est utilisé pour diminuer le stress des animaux aux abattoirs. Nous consommons notamment du porc valiumisé. Il paraît que c'est mieux que du porc stressé.

Villosités intestinales : Plis muqueux tapissant le tube digestif. Dans ces plis des déchets peuvent rester bloqués pendant des années, provoquant des intoxications et des fermentations. Le nettoyage intestinal les élimine.

Yin et *Yang* : Principe de base de l'énergie et de sa manifestation selon la doctrine taoïste révélée à l'homme par Confucius et Lao Tseu. Le Un (Dieu) pour se manifester a dû se scinder en deux, le Yang et le Yin. Le Yang est le principe masculin, le Yin le féminin. Nous les portons tous deux en nous, ce qui revient à dire que nous sommes tous androgynes.

INDEX DES NOMS CITÉS

Maître Omraam Mikhäel AIVANHOV, Maître spirituel de la Fraternité Blanche Universelle, élève de Peter Deunov. Auteur de nombreux ouvrages publiés par les Editions Prosveta. Il est récemment décédé.

Professeur Isaac GUBEL, était professeur de psychiatrie à l'université de Buenos Aires, a participé avec le Dr David Akstein et moi-même à des recherches sur les rites primitifs au Brésil. Il était président de la société argentine de sophrologie. Malheureusement, décédé prématurément.

Docteur Jacques LAVIER, sinologue de grande valeur, parlant le chinois ancien et moderne, auteur de nombreux livres (cf. bibliographie).

Ivan PAVLOV, célèbre physiologue russe, a découvert les réflexes * conditionnés.

Docteur SOLEIL, homonyme de Tan Christian Schaller, médecin genevois, président de la Fondation Soleil. Il est l'auteur de nombreux ouvrages sur la diététique et l'hygiène de vie. Il est aussi l'auteur de la préface de ce livre.

Professeur Louis-Claude VINCENT, professeur d'anthropologie à la Sorbonne, a développé la bioélectronique.

BIBLIOGRAPHIE

ABREZOL Raymond Dr, *Vaincre par la sophrologie*, Ed. Soleil, Genève, 1983.
BERTHOLET Ed. Dr, *Le retour à la santé et à la vie saine par le jeûne*, 1930 — nouv. édit. 1979, P. Genillard, Lausanne.
BORDEAUX-SZEKELY Edmond, *La vie biogénique*, Ed. Soleil, Genève, 1983.
BRESSY Pierre Dr, *La bioélectronique et les mystères de la vie*, Le Courrier du Livre, Paris 1979.
BURGER Guy-Claude, *La guerre du cru*, Roger Faloci Ed., Paris.
DESCHAMPS Fanny, *Vous n'allez pas avaler ça !* Albin Michel, Paris, 1971.
DIAMOND Harvey & Marilyn, *Fit for life*, Warner Books.
DIAMOND John M.D., *Life energy*, Dodd, Mead & Company, New York.
HAFER Hertha, *La drogue cachée*, Ed. Jean Marie Bouchain, Lutry (Suisse).
HUARD Pierre & MING Kong, *La médecine des Chinois*, Hachette, Paris.
LAVIER Jacques A. Dr, *Bio-énergie chinoise*, Maloine, Paris, 1983.
LAVIER Jacques A. Dr, *Le livre de la terre et du ciel*, Ed. Tchou, Paris.
LAVIER Jacques A. Dr, *Médecine chinoise, médecine totale*, Grasset, Paris, 1973.
MACIA, Rafael, *The natural Foods and nutrition hand book*, Perenniel Library, Harper & Row Publishers, New York.
MESSADIE Gérald, *L'alimentation suicide*, Ed. Fayard, Paris, 1973.
PEARSON Durk & SHAW Sandy, *Life extension*, Warner Books.
PRITIKIN Nathan, *The Pritikin Program for diet and exercise*, Bantam Books, New York.
SCHARFFENBERG John A. Dr, *Viande et santé*, Ed. Soleil, Genève.
SOLEIL Dr, *Apprendre à se nourrir*, Ed. Soleil, Genève.
SOLEIL Dr, *Guide des régimes*, Ed. Soleil, Genève.
SOLEIL Dr, *Apprendre à se détoxiquer*, Ed. Soleil, Genève.
TARNOWER Herman M.D. & SINCLAIR BAKER Samm, *The complete Scarsdale medical diet*, Bantam Books, New York.
VAGNIÈRES Anny, *Les céréales gastronomiques*, Ed. Equilibre Aujourd'hui, Flers (Orne).
VIVINI Yves Dr, *Le jeûne et les traitements naturels*, Thérapeutiques fondamentales, Toulouse.
WALFORD Roy, *La vie la plus longue*, Robert Laffont, Paris.

TABLE DES MATIÈRES

Les **EDITIONS DU SIGNAL** se vouent à la publication d'ouvrages consacrés aux recherches sur la synthèse du corporel et du mental, sur les relations entre la matière et l'esprit.
En parallèle mais dans un domaine directement pratique, elles proposent un traité sur le rayonnement tellurique considéré dans son appartenance à l'univers, et une introduction à l'utilisation de l'énergie solaire. En France : Diffusion CHIRON 75006 Paris

EXTRAIT DU CATALOGUE

Dr R. Abrezol — ***Sophrologie et Evolution - Demain l'Homme*** — Comment stimuler le cerveau, plus spécialement l'hémisphère droit, responsable de l'intuition. La sophrologie, science de la conscience, contribue à la structuration d'un être sain et harmonieux.

Dr R. Abrezol — ***Sophrologie et Sport*** — Les multiples techniques de la sophrologie utilisée dans le domaine sportif. La sophropédagogie concourt à gagner les épreuves mais aussi conduit à la victoire sur soi qui permet de surmonter les échecs.

R. Bruckert — ***Le Soleil pour Tous*** — Initiation à l'énergie solaire pratique. Développe de manière progresive les divers procédés de conversion thermique du rayonnement solaire. De lecture facile même pour un non-scientifique. Les possibilités de réalisation en Europe.

Bruneau-Ropars — ***Relaxation et Créativité : Votre Biosynergie*** — Une synthèse de techniques orientales et occidentales (Méthode Vittoz) favorisant l'harmonie du corps, du cœur et de l'esprit dans le respect du libre arbitre de chacun.

J. de Coulon — ***Eveil et Harmonie de l'Enfant - Le Yoga à l'Ecole*** — La vie moderne déstabilisant son environnement, l'enfant éprouve des difficultés de concentration, de mémorisation et de maintien corporel. Une aide précieuse à l'usage des éducateurs et des parents.

J. de Coulon — ***Paix et Yoga - La Force créatrice de l'Amour*** — Une philosophie de la paix sous un angle nouveau. Comment l'individu peut contribuer à la pacification générale. Avec quarante exercices pour faire de l'ordre dans sa tête et dans son corps.

M. Deverge — ***Taï Ji Quan*** — d'après l'enseignement du Maître Ang Tee Tong — Le Taï Ji Quan est un art martial complet et séculaire visant à un épanouissement général du corps et de l'esprit. Sa pratique comporte une coordination du mouvement, de la pensée et de la respiration.

R. Endrös — ***Le Rayonnement de la Terre et son Influence sur la Vie*** — Une recherche de solution pour remédier aux causes multiples de dégradation de notre milieu vital. L'étude de l'action du champ magnétique tellurique conjointement au rayonnement cosmique à la surface du globe.

E. Haich — ***Force sexuelle et Yoga*** — Un texte particulièrement constructif sur le problème essentiel de cette force motrice qui aide l'homme à se mettre en route, le contraint à s'élever toujours plus, véritable trait d'union entre la matière et l'esprit.

E. Haich — ***Initiation*** — Une image captivante des mystères de l'initiation dans l'ancienne Egypte, dont la vérité profonde a de tout temps séduit l'imagination. Sa relation avec la vie actuelle prend une dimension philosophique plus spirituelle que strictement intellectuelle.

E. Haich — ***Sagesse du Tarot*** — Les vingt-deux niveaux de conscience de l'être humain. Signification profonde, mystique, philosophique et psychologique des lames de l'antique jeux de tarot. Les différentes étapes dans l'évolution de l'âme humaine.

S. von Jankovich — ***La Mort, ma plus belle Expérience*** — A la suite d'un accident, l'auteur, considéré comme médicalement mort, passe par des minutes critiques et vit quelque chose d'extraordinaire qu'il décrit en détail dans son ouvrage. Il en tire des réflexions sur le sens de la vie et des considérations de haute portée philosophique.

J. Rofidal — ***DO.IN, massages asiatiques, yoga complet*** — Technique traditionnelle japonaise pour rétablir le flux harmonieux de l'énergie dans le corps en la libérant où elle se bloque et en l'amenant aux points où elle fait défaut.

J. Rofidal — ***Pour bien comprendre le DO.IN*** — Les relations de l'homme avec l'univers. Comment l'énergie incommensurable du cosmos intervient jusque dans notre corps à travers les systèmes galaxique et planétaire et pourquoi s'imposent des règles impératives.

J. Rofidal — ***KI - DO.IN - HARA, Votre Condition physique*** - Exercices de base et pratiques complémentaires au DO.IN. Un chapitre important décrit la technique du massage familial traditionnel japonais.

J. Rofidal — ***Shiatsu et Yoga - Votre corps peut vous guérir*** — Les connaissances pour comprendre le langage du corps et agir personnellement en fonction des anomalies constatées. Ces exercices correctifs donnent à chacun une culture permettant de se prendre en charge.

J. Roost — ***Yoga, Science de la Connaissance*** — Un cours résultant de quinze ans d'enseignement, un condensé d'expérience et de réflexion, une somme de connaissance sur le yoga. Sa doctrine générale et sa pratique dans différentes disciplines.

A. Wadulla — ***Respirer conscient - Vivre mieux*** — La respiration au sens de l'énergie vitale et spirituelle. Une analyse des forces invisibles liant la respiration à la vie, complétée d'exercices aux effets thérapeutiques.

S. Yesudian — ***Confiance en Soi par le Yoga*** — Aspects de la sagesse yoguique. Conseils et instructions pour comprendre le yoga, réflexions sur le développement de Soi pour réaliser sa destinée d'homme.

S. Yesudian et E. Haich — ***Raja-Yoga - La Voie spirituelle*** — Le yoga royal, couronnement de tous les chemins yoguiques, dévoile la « terre promise » qui se touve, souvent cachée, au cœur de chacun de nous.

S. Yesudian et E. Haich — ***Sport et Yoga*** — Le sport, activité de conception occidentale, nécessite la maîtrise de chaque muscle et de chaque fonction. Il a besoin du complément et de l'élargissement apportés par la science philosophique et la sagesse orientales.

S. Yesudian — ***Hatha-Yoga*** — Programme d'exercices pour les cinquante-deux semaines de l'année, pensées directrices correspondantes et description détaillée des exercices complémentaires à ***Sport et Yoga.***

Achevé d'imprimer en avril 1990
sur les presses de l'imprimerie Laballery — 58500 Clamecy
Dépôt légal : avril 1990 Numéro d'impression : 002070